JN151307

東京帝国大学農学部 学徒動員関係史料

原史料：東京大学文書館所蔵・山本義隆関係資料「昭和十九年度　学徒動員関係書類」全4分冊

解説　西山　伸

第2巻

不二出版

凡例

一、『東京帝国大学農学部　学徒動員関係史料』は、東京大学文書館所蔵・山本義隆関係資料「昭和十九年度　学徒動員関係書類」全4分冊を、全2回配本・全4巻として復刻、刊行するものである。

一、底本である「昭和十九年度　学徒動員関係書類」は、山本義隆氏の「68・69を記録する会」が『東京帝国大学農学部　学徒動員関連書類』（『東大闘争資料集』別冊）4分冊として編集、最終的に東京大学文書館に寄贈されたものである。その経緯については、山本義隆「「昭和十九年度　学徒動員関係書類」発見の顛末」（第1巻収録）に詳しい。

一、収録にあたっては寄贈時の編集（4分冊）に従い、全4巻とした。なお原簿目録、寄贈者作成目録は第1巻に収録した。

一、収録文書群には、原簿に附されていた目録、寄贈時に附された目録に従って文書群名、番号等を附し、分類した。詳細は「収録内容一覧」（第1巻収録）を参照されたい。

一、本史料の位置づけ及び意義を詳解する解説（西山伸）を、第1巻冒頭に附した。

一、原史料を忠実に復刻することに努め、紙幅の関係上、適宜拡大・縮小した。印刷不鮮明な箇所、書き込み等も原則としてそのままとした。また判読できない文字は■と記した。

一、個人の特定によりその人権が侵害される恐れがあると判断された箇所は、■■■等で伏せ字とした。

一、本復刻にあたっては、東京大学文書館、山本義隆氏にご協力いただきました。記して感謝申し上げます。

目次

東京帝国大学農学部　学徒動員関係史料　第2巻

41

五二七號

東京帝國大學

東京帝大學第二〇三號
昭和十九年六月十七日

學生課長 大室貞一郎

農學部長 三浦伊八郎 殿

學徒勤勞ノ出動命令ニ關スル件

標記ノ件ニ關シ學徒動員本部總務部長ヨリ別紙寫ノ通リ通牒有之候條委曲右ニテ御了知相成度此段供覽及移牒候也

勤総二一一五號

昭和十九年六月十日

學徒動員本部總務部長

學徒動員本部第一部長

大學高等專門學校長 殿

學徒勤勞ノ出動督勵ニ關スル件

決戰下生產增强ノ必要ノ爲メ學徒勤勞ノ效率ヲ愈速且ツ最高度ニ發揮セシムルハ喫緊ノ要務ナル處第一、四半期分動員學徒ノ出動狀況ニ照シ特ニ左記事項ニ付十分指導督勵相加ヘ學徒勤勞遂行上萬遺憾ナキヲ期セラレ度此段及通牒候

東京帝國大學

記

一　既ニ配屬ヲ決定セル學校ハ直チニ工場事業場等學徒勤勞動員學校側指導要綱ニ基キ出動準備ヲナシ急速ニ作業現場ニ出動シ特別ノ事情ニ依リ直チニ出動シ得ザル場合ニ於テハ速ニ其ノ事情ヲ具シ本省ノ指導ヲ受ケ承認アリタル場合ニ限リ出動ヲ延期スルコト

一　出動後特別ノ事情ニ依リ學徒勤勞ヲ停止スル要アリト認メラル、場合ト雖モ學校長ヨリ事情ヲ具シ本省ノ指示ヲ受クルコト、シ擅ニ作業現場ヲ離脱スル如キコトナカラシムルコト

農學部 二二一號

日滿(藥)第六六一號

昭和十九年七月十二日

財團法人日滿鑛工技術員協會

理事長、榛　實

土農學部長　殿

學徒勤勞動員受入側措置要領ニ關スル件

決戰非常措置ニ基ク學徒動員實施要綱ニ準據シ滿洲國內ニ勤勞動員學徒ノ受入側處置ニ關シ滿洲國政府竝ニ關係機關協議ノ上別紙要領ニ依リ取扱フベク文部省ニ提出中ノ處此ノ程御內諾ヲ得タルニ付御參考迄ニ及御送付候也

追而鑛工關係學徒以外ノ動員學徒ニ對シテハ本措置要領ニ準據シ取扱フベク申添候

附件　鑛工關係學徒勤勞動員受入側措置要領　一部

鑛工關係學徒勤勞動員受入側措置要領

一 方針

大東亞戰爭決戰ノ現段階ニ鑑ミ決戰非常措置ニ基ク日本帝國學徒動員實施要綱ニ準據シ學徒盡忠ト勤勞即教育ノ本義ニ徹スル學徒勤勞動員ノ徹底的ニシテ且有效適切ナル運營ヲ圖ルヘキ受入側態勢ヲ確立セシムルモノトス

二 要領

(一)協力申請(請求)書提出(別紙様式第一號)

內地側學徒ノ動員ニ付テハ日滿鑛工技術員協會ニテ一括代行申請ヲナス

(二)受入準備

◎旅大、南滿工事ノ動員時期ハ概ネ內地側ニ準ス

作業內容　食事給與其ノ他勤勞條件

1 勤勞時間

2 宿舍ノ狀況

3 其ノ他必要ナル事項

(三)學徒動員受入事任擔當者作業指導者並ニ同補助者其ノ他係員ヲ選任スルコト

(四)一般從業員及作業指導者等ニ對シ豫メ學校報國隊協力ノ趣旨ヲ周知徹定セシメ其ノ取扱處遇ニ遺憾ナキヲ期スルト共ニ苟モ學徒ノ勤勞ニ、挺身セントスル至誠ノ情ヲ冷却セシメ又ハ學徒ノ教育訓練ニ惡影響ヲ及スカ如キコト絕對ナカラシムルコト

三、隊員ノ身分取扱

1.學徒ハ職員ニ準シ所遇スルコト

2.學校教職員幹部職員ニ準スル等相當ノ所遇ヲナスコト

四、教育訓練ニ對スル協力

1.受入側ハ常ニ學徒ノ勤勞動員ハ即チ教育タルノ本義ヲ理解シ學徒ノ教育訓練ニ遺憾ナカラシムルコト

2.受入側勤務時間中　軍事教育、教授、訓育等ノ爲一週一二時間程度時間ヲ設クルコト
之ガ具体的實施ニ關シテハ學校長又ハ派遣專任教職員ト協議シ之ニ協力スルコト

五、勤勞協力ニ對スル指導監督

1.學徒ノ出缺、勤怠、志氣ノ昂揚其ノ他勤勞協力ニ關スル精神指導並ニ身分上ノ監督並ニ作業上ノ指導ハ之ヲ學校側ト緊密ナル協議ヲナシタル上受入側ニ於テ行フコト
但シ學校ヨリ專任教職員ノ派遣アルトキハ受入側ハ單ニ作業上ノ指導ノミヲナスコト

六、勤務

1.學徒ノ專修學科、體力、健康狀態、熟練度等ヲ考慮シ狀況ニヨリ勤務ノ種類及場所ヲ變更スルコト

2.一日ノ勤務時間ハ一般從業員ト同等ニ取扱フヲ原則トスルモ一〇時間（休憩時間ヲ含ム）以内ヲ原則トシ殘業ヲ課スル場合ト雖モ一二時間ヲ越エサルコト

3.交替制ニヨル深夜（午後一〇時ヨリ翌朝五時ニ至ル間）就業ハ出勤

後二ケ月間ハ之ヲナサシメザルコト

休暇　一般従業員ト同様トスルモ作業ニ慣熟セザル期間ハ出来得レ

週休トスルコト

七　災害

1. 災害ノ防止疾病ノ豫防並ニ災害疾病ノ措置

災害防止設備ヲ完全ナラシメ設備不完全ナル力又ハ有害有毒ナル場所ニ於テ作業セシメサルコト

2. 隊員ノ安全教育ヲ徹底セシムルコト

3. 隊員ノ保健衛生救護ニ關シ必要ナル施設ヲ整備スルト共ニ常ニ學徒ノ疲勞其ノ他心身ノ状況ニ留意シ疾病事故ノ防止ニ力ムルコト

4. 死亡負傷疾病等ノ事故ニ對シテハ受入側職員ニ準ズル扶助弔慰治療慰問其ノ他必要ナル措置ヲ迅速適切ニ為スト共ニ其ノ詳細ヲ直ニ學校長父兄及滿洲鑛工技術員協會ニ連絡スルコト

死亡ノ場合ノ弔慰金ハ左ノ基準ニ據ルコト

◎業務上ノ死亡　五〇〇圓

◎業務外ノ死亡　三〇〇圓

八　宿泊其ノ他ノ設備

1. 宿泊施設ハ一切受入側ニテ完備スルコト

2. 寢具ハ事業体ニ於テ準備スルコト

3. 特ニ保健衛生風紀等ニ付萬遺憾ナキ様措置スルコト

九　食事其ノ他ノ給與

1. 食糧等ハ一般従業員ト概ネ同様ニ給與ノ措置ヲ為スコト

2. 作業用品類（作業衣、作業帽、地下足袋、手袋）ハ貸與スルコトヘ

一〇 報償

1. 學徒勤労ニ對スル報償ハ學校報國隊ノ協同業績ニ對シ支拂ハルモノナルヲ以テ學校報國隊ニ納付スルコト

2. 報償ハ基本報償及特別報償ノ二種トスルコト

◎基本報償（月額）

大學　一二〇圓　專門　一〇〇圓

右基本報償中ヨリ宿泊費三〇圓ヲ控除シ残額ヲ毎月末日迄ニ學校報國隊ニ納付スルモノトス

但シ學校報國隊ハ前記納付ヲ受ケタル基本報償ヨリ學徒ニ諸手當トシテ毎月大學五五圓、專門四五圓ヲ交付スルモノトス

◎特別報償

特別報償ハ受入側一般從業員ニ對シ残業深夜就業又ハ臨時ノ給與ヲ支給スル例ニ依リ支給スルモ學校報國隊ニ納付セザルコト

一一 實費辨償

1. 渡滿旅費（學校所在地—受入先間三等乘車船賃實費、辨當料途中宿泊費）ハ受入側ニ於テ實費ヲ負擔スルコト

但シ辨當料ハ一食ニ付一圓ヲ標準トスルコト

2. 隊員ノ父母妻子ノ死亡（危篤ノ場合ヲ含ム）ノ際ニ於ケル隊員ノ歸省ノ場合ハ往復旅費（渡滿旅費ニ準ズ）ヲ支給シ隊員ノ危篤又ハ死亡ノ際ニ於ケル家族ノ出頭ノ場合ハ二人ヲ限リ往復旅費三等及必要ナル滯在期間中ノ滯在實費ヲ受入側ニ於テ支給スルコト

3. 派遣責任教職員ニ對シテハ交通費、旅費其ノ他必要ナル經費ハ受入側ニテ負擔シ別途支辨スルコト

4. 隊員ノ陸海軍技術幹部候補生受驗ニ要スル旅費往復（渡滿旅費モ準ズ）陸海軍ヨリ支辨セラレザル時ハ受入側ニテ其ノ三分ノ一ヲ補助スルコト、尚受驗ニ要シタル日數ハ出勤扱トスルコト

備考

一、學徒基本報償

本指導要領中基本報償但書ノ學徒ニ交付スル諸手當ハ便宜受入側ニ於テ之ヲナスモノトス

二、旅費控除

學徒動員終了後引續キ就職スル者ニ對シテハ學校卒業者新規採用赴任旅費支給規程ニ依リ支給スル額ヨリ渡滿時ニ要シタル旅費ヲ控除シ支給スルコト

尚引續キ就職ノ爲寢具其ノ他身廻品取寄セニ要スル運送費ハ別途支給スルコト

回覧

大第四四七号　学生課長ヨリ

動員学徒ノ工場通勤用定期券購入等ニ関スル件

昭和十九年五月二十四日

事務室

農學科　　演習林

農藝化學科　　農場

林學科　　水産實験所

獸醫學科　　御中

水産學科

農業經濟學科（大塚）

農業土木學科

43

東京帝國大學

農學部 第四四七號

東京帝大學第一五一號

昭和十九年五月廿三日

學生課長　大室貞一郎

農學部長　三浦伊八郎　殿

動員學徒ノ工場通勤用定期券購入等ニ關スル件

標記ノ件ニ關シ別紙ノ通リ學徒動員本部總務部長ヨリ學總有之候條委曲右ニテ御諒知ノ上貴部ニ於テ可然御配慮相成度此段依命及移牒候也

東京帝國大學

發文六一號（寫）

昭和十九年五月十七日

學徒動員本部總務部長　印

東京帝國大學總長　殿

動員學徒ノ工場轉勤用定期乗車券購入等ニ關スル件

標記ノ件ニ關シテハ別紙要領ニ依リ御處理相成度此段及通知

工場事業場等學徒勤勞動員受入側措置要綱第二要領一ノ㈠ニ基ク動員學徒ノ工場通勤用定期券ノ購入等ハ左記ニ依ルコト

一、動員學徒ノ工場通勤用定期券ハ受入側ニ於テ購入スルコト

二、前號ノ定期券購入ニ要スル通勤證明書ハ學校側ニ於テ之ヲ發行スルコト、シ各學校ニ於テハ動員計畫ノ具體的決定ト同時ニ動員スベキ學徒ノ氏名、年齢、居所及通勤經路等ヲ連記シタル證明書ヲ作成ノ上當該工場ニ二通送付スルコト

三、各工場ニ於テ前號ノ證明書ヲ受領シタルトキハ一通ヲ控ヘトシ一通ヲ最寄驛又ハ東亞交通公社案内所ニ提出シ學徒通勤用定期券購入ノ申込ヲ爲シ置クモ動員開始當日中ニ學校ニ交付シ得ル樣萬全ノ手配ヲ爲スコト

東京帝國大學

四、動員學徒ノ現ニ所持スル通學用定期券ニシテ不用トナリタルモノニ付テハ殘餘ノ通用期間（新定期券ノ通用開始日ヨリ起算）ニ對シ日割計算ニ依リ料金ノ拂戻ヲ受クルコト

五、前號ノ拂戻ヲ受ケントスル場合ハ學校側ニ於テ新定期券通用開始日ヨリ十日以内ニ書類ヲ一括取纏メ新定期券發行ノ驛又ハ東亞交通公社事務所ニ之ヲ提出スルコト

44

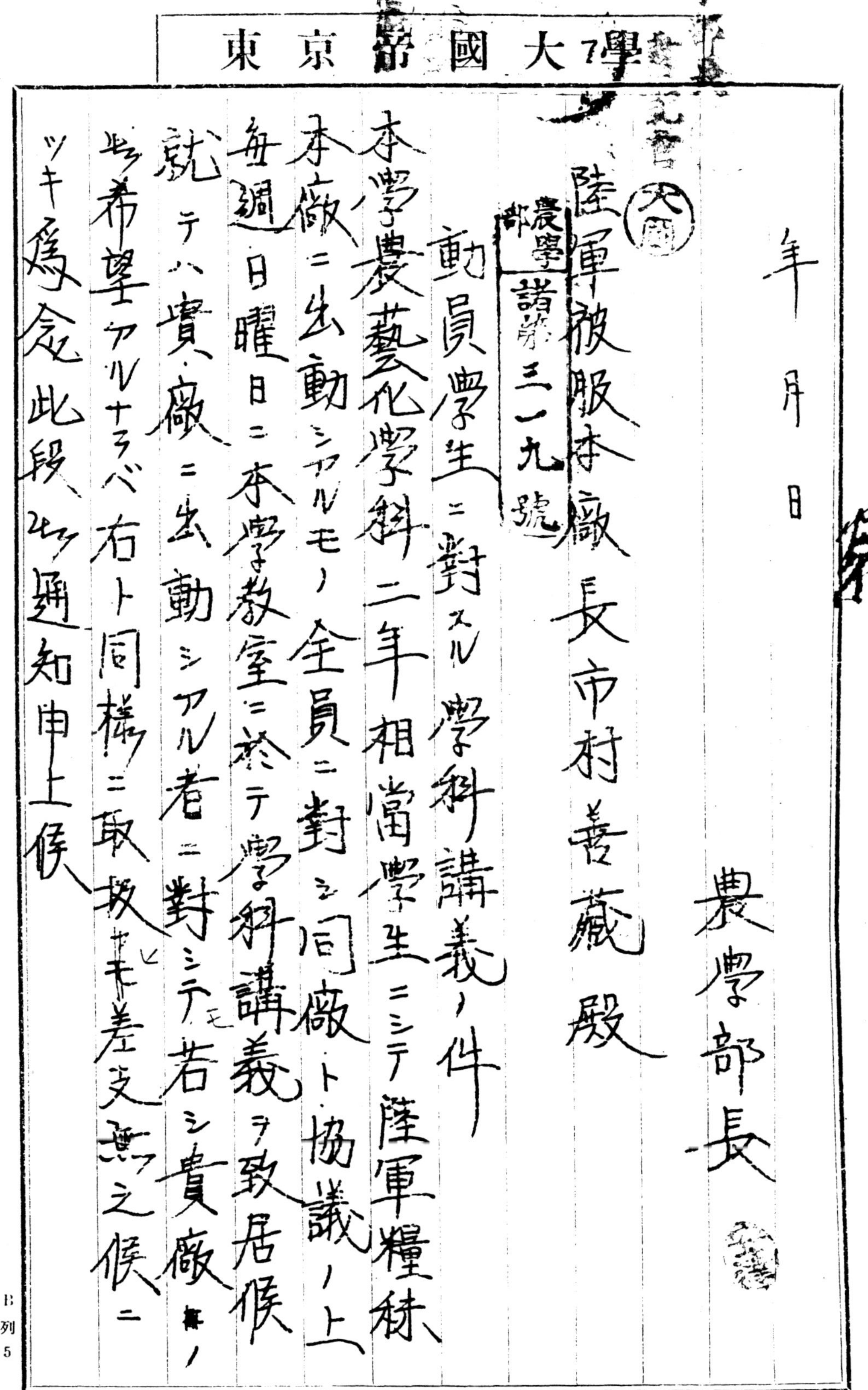
東京帝國大學

年　月　日

農學部長

陸軍被服本廠長市村善藏殿

農學部諸第三一九號

動員學生ニ對スル學科講義ノ件

本學農藝化學科二年相當學生ニシテ陸軍糧秣、本廠ニ出動シアルモノ全員ニ對シ同廠ト協議ノ上、毎週日曜日ニ本學教室ニ於テ學科講義ヲ致居候就テハ貴廠ニ出動シアル者ニ對シテモ若シ貴廠ノ御希望アルナラバ右ト同様ニ取扱ヒモ差支無之候ニツキ為念此段御通知申上候

B列5

45

東京帝國大學

昭和十九年六月三十日

農藝化學科主任

佐々木林治郎

農學部長 三浦伊八郎 殿

陸軍經理部委託學生ニ對スル學科講義ノ件

當學科陸軍經理部委託學生ハ陸軍被服本廠ニ出動シアル処頭書ノ件ニ關シ別記ノ趣意ヲ以テ可然御手續ヲ成被下度此段及御願候

追而本件ハ同廠當局ト連絡済ノモノニ有之候

B列5

東京帝國大學

御尋ニ付[illegible]九[illegible]

七月十四日

[illegible]長[illegible]

以上

陸軍服[illegible]

三年 一 二 年 自明治二十[illegible] 至九月[illegible]

二年 三 年 自七月二十[illegible] 至一月[illegible] 百[illegible]

二月[illegible]一[illegible]出[illegible]下

B
列
5

東京帝國大學

動第三五八号

昭和十九年七月十四日

文部省専門教育局長

学徒動員本部次長

総長 殿

獣医畜産関係二年学徒動員ノ件

獣医 二年八〇名 陸軍獣医学校

自 七月二十日

至 一月十九日

決定ノ上ハ 動員実施調書 提出方下

B列5

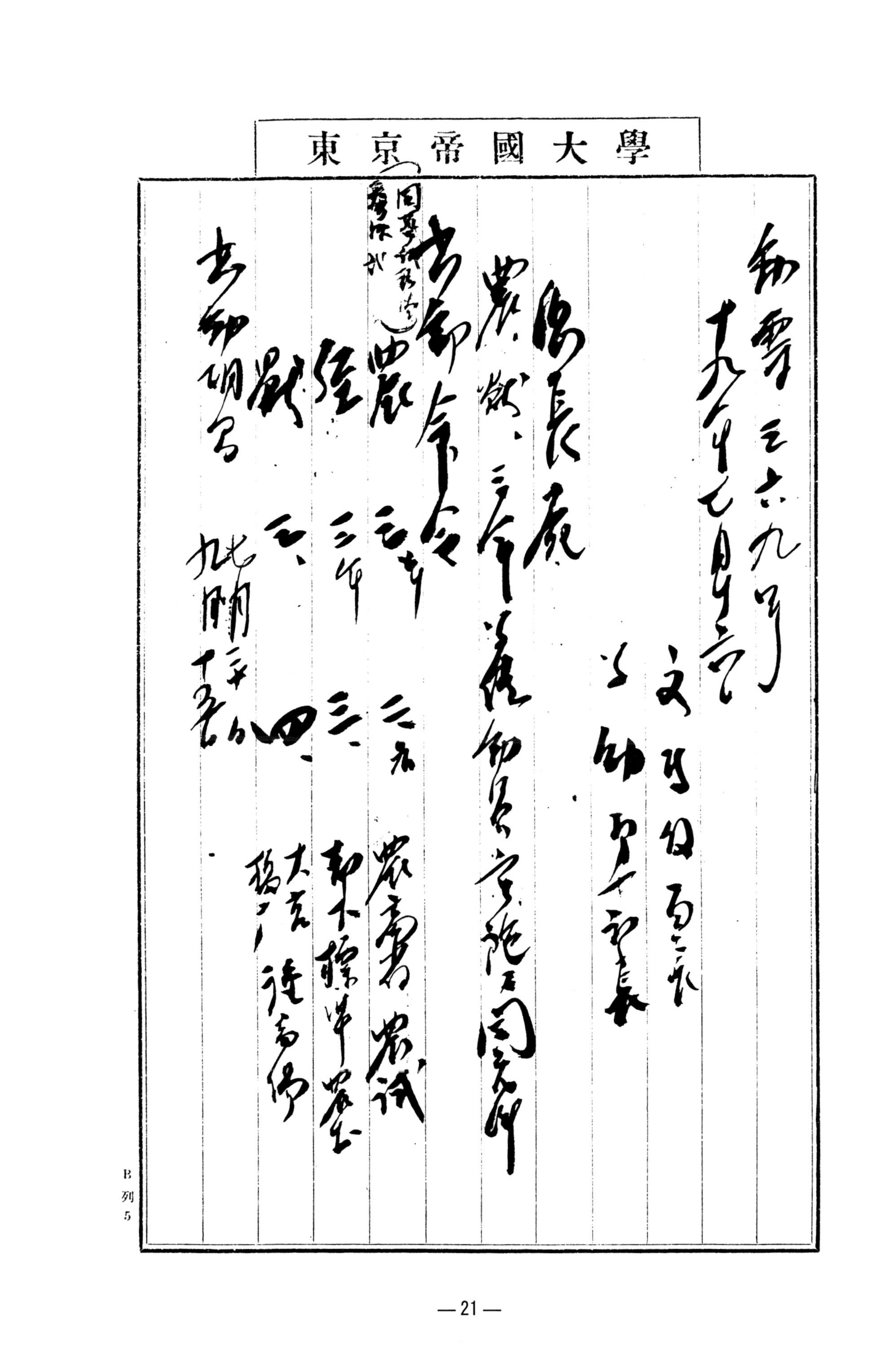

東京帝國大學

秘電三六九号
大正九年七月十六日
文部省[illegible]
〃[illegible]

學長殿

[illegible]

[illegible]

[illegible]

[illegible]

東京帝國大學

[illegible]十九年十月拾[illegible]日

農學科

七月十八日御依頼ノ学生勤労奉仕ニツキ左記二名ヲ指定セリ

本郷區追分町五三　帝大YMCA寄宿舎　吉川需

澁谷區幡ヶ谷本町二ノ二〇九　田島達彦

（中止）

猶以先、園藝試、茶業試ニ各一名宛御願致シ候所、茶業ト

[illegible]農事試験場ノ両方ヘ御廻シ被下度。

（園藝試　金谷[illegible]　茶業試　伊藤[illegible]）

至急、三

[illegible]ニ御願申上マス。

東東1529

東京帝國大學

明治四二年
九月七日

文部次官 岡田良平

各校長より下記

岩狹水產業ニ對シ有價證券

處分ノ関スル件

七月廿日　總長 濱尾新

回覧中

B
列
5

元保局第一八七号

大九年七月十七日

農商務省農務局長

總長 殿

推薦内定学生勤務御照会ニ関スル件

農学生ニ推薦内定ノ者左記ノ通ニ有之

大ニ勤務省勤員ノ成績ヲ文部省人 御推薦

候處右者経費ノ費用ニ就キ御配慮相成度

右及御回答候也

記

農政局 池田傳一

〃 経済局 肥田哲

〃 会計課 松浦鉄次

B列5

東京帝國大學

勅書三三五號

十九年九月十日

總長殿

學徒動員本部長

學校卒業者使用制限令適用件伺之件

右ニ付學徒動員割當ニ關シ――

農藝化學科

一年　四六名

陸軍燃料本廠へ

出動方相願度

為御照會候

根岸

B列5

回覧

大沖五三〇号

昭和十九年六月廿一日

農繁期國民皆働運動ニ協力スベキ学徒ノ鉄道運賃ニ関スル件

事務室

演習林

農場

水産實驗所

御中

農學科

農藝化學科

林學科

獸醫學科

水産學科

農業經濟學科

農業土木學科

46

東京帝國大學

五三〇

東京帝大學第二一[illegible]號

昭和十九年六月二十日

學生課長　大室貞一郎

農學部長　三浦伊八郎　殿

農繁期間國民皆働運動ニ協力スベキ學徒ノ
鐵道運賃ニ關スル件

標記ノ件ニ關シ文部次官ヨリ別紙寫ノ通リ通牒有之候條委曲右ニテ
御了知相成度此段依命及移牒候也

動文三號

昭和十九年六月七日

文部次官印

各直轄學校長
公私立大學高等學校專門學校長 殿

長期國民皆働運動ニ協力スベキ學徒ノ
鐵道運賃ニ關スル件

大政翼賛會主催ノ下ニ長期國民皆働運動實施中ノ處右趣旨ニ依リ動員セラルベキ學徒ノ鐵道運賃ニ付テハ本年八月十日迄三等往復ニ限リ五割割引ノ取扱ヲ爲スコトヽ相成タルニ付御了知相成度

追而右取扱ヲ受ケントスル場合ハ翼長發行ノ人員行程ヲ明示セル「長期國民皆働運動出動證明書」ヲ出發ノ日十日前迄ニ乘車驛ニ御提出相成度

學部長

書記官

案

東京帝國大學 19.7.17 農學部

農學部 六〇七號

學徒出動者氏名報告ノ件

本學部ニ於ケル學徒出動者氏名別記ノ通及報告候也

年　月　日

部　名

軍事教官宛

學生課長宛

各通

47

東京帝國大學

學徒勤勞動員調

東京帝國大學農學部

出動者氏名	學科	學年	出動先	出動ノ場所	備考
小田桂三郎	農	二	埼玉縣	埼玉縣廳（浦和市）	
矢野幸夫	〃	〃	〃	〃	
相見盛和夫	〃	〃	学内動員	本郷區向ヶ岡彌生町	
田渕周吉	〃	〃	〃	〃	
猪ノ坂正之	〃	三	〃	〃	
田島達彦	〃	〃	〃	〃	
吉川雷	〃	〃	〃	〃	
金澤幸之	〃	〃	農商省園藝試驗場種苗育成地	神奈川縣中郡吾妻村	
伊藤智夫	〃	〃	農商省蠶絲試驗場	杉並區	
榎本雄二郎	林業	三	陸軍航空技術研究所	立川市（第一陸軍技術研究所）	

東京帝國大學

原田三治	〃	二	〃	〃
七澤喜男	林産	三	海軍航空技術廠	横須賀市浦郷
村木覺四郎	〃	十一	〃	〃
石田常彦	林業	三	長岡營林署	新潟縣長岡市
市原睦夫	〃	〃	東京	麹町區虎ノ門
大迫壽男	〃	〃	六日町	新潟縣南魚沼郡六日町
熊川明雄	〃	〃	長岡	長岡市
佐々木文夫	〃	〃	六日町	新潟縣南魚沼郡六日町
須賀敏孝	〃	〃	福島	福島市大字曽根田
長井啓之	〃	〃	長岡	長岡市
藤井博	〃	〃	六日町	新潟縣南魚沼郡六日町
山崎鵬太郎	〃	〃	長岡	長岡市

東京帝國大學

B列4

藍原義邦	林業	二	福島営林署	福島市大字曾根田
伊藤達次郎	〃	〃	水上 〃	群馬県利根郡水上村
小保山日出夫	〃	〃	大田原 〃	栃木県那須郡大田原町
上田太郎	〃	〃	〃	〃
石崎澤	〃	〃	〃	〃
立石正夫	〃	〃	〃	〃
富岡二郎	〃	〃	村上営林署	新潟県岩船郡村上本町
野口一郎	〃	〃	〃	〃
渡辺隆司	〃	〃	〃	〃
渡辺章	〃	〃	水上 〃	群馬県利根郡水上村
泉静雄	林産	二	矢板 〃	栃木県塩谷郡矢板町
繁澤静夫	〃	〃	〃	〃

東京帝國大學

萱野 叢作	〃	〃	〃	〃
鈴木 寧	〃	〃	高崎 〃	高崎市八島町
北村 博嗣	〃	〃	〃	〃
早川 次郎	〃	〃	〃	〃
伊藤 長	〃	〃	富岡 〃	福島県双葉郡富岡町
芝辻 英夫	〃	〃	〃	〃
古谷 弘三	〃	〃	〃	〃
山口 隆太郎	〃	〃	福島 〃	福島市大字曽根田
中新井 隈	〃	〃	〃	〃
森岡 菊夫	〃	〃	水上 〃	群馬県利根郡水上本
瑞野 善之	獣	三	陸軍獣医学校	世田谷区下代田町
雨宮 春彦	〃	〃	〃	〃

東京帝國大學

B列4

伊藤健一郎	獣	三	陸軍獣醫學校	世田谷区下代田町
石井安雄	〃	〃	〃	〃
氏原徳男	〃	〃	〃	〃
臼井和哉	〃	〃	〃	〃
小木曽庚三	〃	〃	〃	〃
澤宗哲	〃	〃	〃	〃
新藤二郎	〃	〃	〃	〃
戸田光敬	〃	〃	〃、	〃
徳田力	〃	〃	〃	〃
野口一郎	〃	〃	〃	〃
安引公二	〃	二	〃	〃
石田葵一	〃	〃	〃	〃

東京帝國大學

齋藤 儀（十一日）	〃	〃	〃	〃
石井 坤二	水	一	陸軍技術研究所（依要請）	研究場所 愛知県知多郡旭村 東大農水産實験所
狩谷 貞二	〃	〃	〃	〃
米場 重臣	〃	〃	〃	〃
杉本 仁彌	〃	〃	〃	〃
高尾 脩造	〃	〃	〃	〃
竹内 脩	〃	〃	陸軍糧秣本廠	深川區越中島町
秦 瑞夫	〃	〃	陸軍技術研究所（依要請）	研究場所 愛知県知多郡旭村（東大農水産實験所）
丸茂 隆三	〃	〃	〃	〃
水江 一弘	〃	〃	〃	〃
宮村 光武	〃	〃	〃	〃
杉浦 一郎	〃	〃	〃	〃

東京帝國大學

B列4

氏名	学科	年	勤務先	住所
島巣英夫	水	三	陸軍技術研究所	研究所 逗子出張所 [illegible]（本学[illegible]）
山田隆士	〃	〃	〃	〃
吉崎司郎	〃	〃	〃	〃
秋谷年見	〃	〃	本学内 助手	東京都 向ヶ岡 弥生町
五味亮一	〃	〃	〃	〃
村上豊	〃	〃	〃	〃
山川健重	〃	〃	〃	〃
中井久雄	〃	〃	株式会社林兼商店	朝鮮 釜山府
松本繁夏	〃	〃	陸軍燃料廠	深川区越中島町
村山繁雄	〃	〃	北海道水産試験場	北海道余市町
山本允	〃	〃	西大洋漁業統制株式会社	麹町区丸ノ内 丸ビル内
佐藤太一郎	経	三	埼玉県庁	浦和市

東京帝國大學

東京帝國大學

柳澤英範	〃	〃	〃	埼玉縣比企郡福田村
矢野勇	〃	〃	〃	〃
兒玉賀典	〃	〃	〃	〃
天野治一郎	士	三	本學内部員	本郷區向ヶ岡彌生町
茶谷仁	〃	〃	〃	〃
渡會末彦	〃	〃	〃	〃
青山政義	〃	二	千葉縣廳耕地課	千葉縣海上郡旭町 大利根用水改良事務所
井上弘	〃	〃	〃	〃
伊佐勝	〃	〃	〃	〃
金澤敬	〃	〃	〃	〃
須藤嘉郎	〃	〃	〃	〃
片岡隆四	〃	〃	滿洲國	滿洲國吉林省郭爾羅斯前旗 前郭旗、第二松花江、同公司部

B 列 4

金城 哲雄	土	二	満州国	仝上
杉本 郁郎	〃	〃	〃	〃
長崎 明	〃	〃	〃	〃
鷹尾 勇彦	〃	〃	〃	〃
茶谷 一男	〃	〃	〃	〃
松井 芳明	〃	〃	〃	〃
水谷 嘉隆		〃	〃	〃
山本 純	〃	〃	〃	〃
吉松 雄太郎	〃	〃	〃	〃
高橋 喜一郎	〃	〃	陸軍航空本部施設課 学術班	三重県度会郡北浜村 陸軍航空本部明野工事本部 第二修技作業隊
宮島 啓光	〃	〃	〃	〃
天野 章一	化	三	府中陸軍燃料廠	東京都北多摩郡府中町

安藤孝久	〃	〃	〃	〃
石原亘	〃	〃	第一陸軍衣糧廠	品川区西大井町
須賀智男	〃	〃	キリンビール株式会社 東京出張所	京橋区京橋二丁目四（明治屋ビル四階）
宇田川宣房	〃	〃	日本鉱業株式会社	王子区豊島五ノ四ノ一
小曽戸和夫	〃	〃	海軍航空技術廠	神奈川県横須賀市浦郷
尾崎清	〃	〃	本学内農芸化学教室	本郷区向ヶ岡弥生町
大久保正道	〃	〃	第八陸軍技術研究所	東京都国分寺
大高文男	〃	〃	本学内農芸化学教室	本郷区向ヶ岡弥生町
本田慶			明治製糖株式会社	京橋区京橋二丁目八
岡田昌也	〃	〃	日清製粉株式会社	調布市
加藤明寛	〃	〃	農商省醗酵研究所	千葉県稲毛ノ二一二九乙
鋼島幸男	〃	〃	理化学研究所	本郷区上富士前町

東京帝國大學

B列4

氏名			勤務先	住所
勝屋 登	化	三	海軍燃料廠	品川区南大井町
神田 克	〃	〃	理研工業株式会社	本郷区上富士前町
木村 武	〃		〃	〃
北島 晃	〃	〃	本学内農芸化学教室	本郷区向ヶ岡弥生町
島崎 通夫	〃	〃	〃	〃
齋藤 三郎	〃	〃	明治製糖株式会社	京橋区京橋二ノ八
清水 正賢	〃	〃	理化学研究所	本郷区上富士前町
橋葉 良之助	〃	〃	理研栄養薬品株式会社	〃
鈴木 七郎	〃	〃	第一海軍衣糧廠	品川区南大井町
鈴木 敏夫	〃	〃	陸軍糧秣廠	深川区越中島
鈴木 鵬三	〃	〃	理研工業薬品株式会社	本郷区上富士前町
関 守誠		〃	本学内農芸化学教室	本郷区弥生町

東京帝國大學

氏名			所属	住所
高橋 三郎	〃	〃	〃	〃
高松 亘	〃	〃	昭和電工株式会社	京橋区宝町一ノ七
角田 俊直	〃	〃	第一海軍衣糧廠	品川区南大井町
中山 慶一	〃	〃	府中陸軍燃料廠	東京都下 府中町
中山 良三	〃	〃	陸軍燃料廠	王子区[illegible]日市一ノ
永井 彰三	〃	〃	日東化学研究所	[illegible]市上末吉 字大原一六三一
長倉 克男	〃	〃	第一海軍衣糧廠	品川区 南大井町
林 成周	〃	〃	海軍航空技術廠	神奈川県横須賀市
樋口 良文	〃	〃	理化学研究所	本郷区上富士前町
日高 正夫	〃	〃	陸軍糧秣廠	深川区 越中島
橘迫 純一	〃	〃	軍需省醗酵研究所	千葉県稲毛町[illegible]二ノ一二九一
松井 慶訓	〃	〃	日清製粉株式会社	[illegible]

東京帝國大學

B 列 4

松坂泰明	〃	〃	本学内農芸化学教室	本郷区向ヶ岡弥生町
松田和雄	〃	〃	第二海軍燃料廠	東京都下府中町
丸 忠二	〃	〃	理研工業[illegible]株式会社	本郷区向ヶ岡弥生町
三浦 洋	〃	〃	日清製粉株式会社	調布市
望月慄二朗	〃	〃	海軍航空技術廠	横須賀市浦郷
山根信義	〃	〃	日清製粉株式会社	日本橋区小網町一ノ二ノ四
山本 毅	〃	〃	〃	〃
吉澤赳夫	〃	一	日本曹達工業株式会社	渋谷区竹[illegible]台四一七七五
吉田文彦	〃	〃	第二海軍燃料廠	三重県四日市
吉原一郎	〃	〃	本学内農芸化学教室	本郷区向ヶ岡弥生町
篠田 晃	〃	〃	陸軍糧秣本廠	深川区越中島
相田 浩	化	二	陸軍糧秣本廠	〃

東京帝國大學

青山敏男	〃	〃	〃	〃
東國雄	〃	〃	〃	〃
鮎川修一	〃	〃	第二海軍燃料廠	三重縣四日市
有吉修二郎	〃	〃	陸軍糧秣本廠	深川区越中島
伊東富士雄	〃	〃	〃	〃
伊東正夫	〃	〃	〃	〃
飯塚菊夫	〃	〃	〃	〃
飯塚賓	〃	〃	〃	〃
池畑秀夫	〃	〃	〃	〃
上田精芸	〃	〃	陸軍被服本廠	王子区赤羽
大賀鎮夫	〃	〃	陸軍糧秣支廠	深川区越中島
大塚謙一	〃	〃	〃	〃

東京帝國大學

B
列
4

大西隆二	化	二	陸軍糧秣本廠	深川区越中島
岡田和	〃	〃	〃	〃
柳原茂樹	〃	〃	〃	〃
門田昌平	〃	〃	〃	〃
萱島[illegible]磐自	〃	〃	陸軍技術研究所	立川市
川並統一	〃			
河田弘	〃	〃	陸軍糧秣本廠	深川区越中島
河辺健一	〃	〃	〃	〃
小坂博保	〃	〃	〃	〃
後藤忠	〃	〃	〃	〃
近藤峯	〃	〃	〃	〃
齋藤孝	〃	〃	第二海軍燃料廠	三重県四日市

東京帝國大學

柴崎秀雄	〃	〃	陸軍糧秣本廠	深川区越中島
島根英雄	〃	〃	〃	〃
白石道夫	〃	〃	〃	〃
鈴木遙彦	〃	〃	〃	〃
鈴木陽一	〃	〃	第二陸軍燃料廠	三重縣四日市
田川一郎	〃	〃	陸軍糧秣本廠	深川区越中島
田中耕作	〃	〃	〃	〃
高橋徹三	〃	〃	〃	〃
辻登	〃	〃	〃	〃
塚崎重信	〃	〃	〃	
中野目弘明	〃	〃	〃	〃
並木満夫	〃	〃	〃	〃

東京帝國大學

B列4

氏名				
南部三郎	化	二	陸軍糧秣本廠	深川区越中島
野本正雄	〃	〃	〃	〃
廣井彰英	〃	〃	〃	〃
古谷方佐	〃	〃	〃	〃
増田宏	〃	〃	〃	〃
松浦愼治	〃	〃	〃	〃
丸山修	〃	〃	〃	〃
室岡治義	〃	〃	〃	〃
谷田澤道彦	〃	〃	〃	〃
武田芳桃	〃	〃	〃	〃
山本銀三	〃	〃	〃	〃
横澤清	〃	〃	〃	〃

東京帝國大學

吉川識次	〃	〃	〃	〃	
天羽幹夫	〃	〃	〃	〃	[illegible]
大村信彦	林産	三	旭川林産試験場	南方學、徳山村	〃
阿部寛	〃	〃	〃	〃	〃
村松正男	〃	〃	〃	〃	〃
野崎[illegible]	〃	〃	〃	〃	〃
吉田全文	〃	〃	〃	〃	〃
小澤欽彦	〃	〃	〃	〃	〃
柾野順三	〃	〃	〃	〃	〃
林[illegible]之	林業	〃	〃	〃	〃

東京帝國大學

B列4

配屬將校引率中越有之學徒動員者氏名左記ノ通

ヨリ七月十二日迄ニ帰国仕候間此段及御報告候也

尚今後出動ノ場合ハ都度及御報告

事務室

農業經済學科主任

昭和二十年七月八日

磯辺秀俊 殿

記

各學科係中

出動者氏名	學科	學年	出動先	出動場所（何縣何郡何村迄）
佐藤太一郎	農經	三	埼玉縣下	仝上

但「協力令ニ依ル」

協力令ニ依リ出動セシハ左記ノ三名

柳澤英範 農經 三 埼玉縣下 埼玉縣比企郡福田村

矢野勇 〃 〃 〃 〃

児玉賀典 〃 〃 〃 〃

東京帝國大學

昭和十九年七月十日

農学部

農学部目録室内一

七月分附属演習林勤務者氏名左記ノ通リ及内報候也

出勤者氏名	学科	学年	出勤先	出勤場所
小田桂三郎	農経	二	埼玉縣	
矢野幸夫	〃	〃	〃	以上協力会ニ依ル
田先盛和夫	〃	〃	本学部	本学部付属演習林
田渕周吉	〃	〃	〃	
椿坂正之	〃	〃	〃	
田島達彦	〃	三	〃	
吉川秀	〃	〃	農業土木研究所	以上五名協力会ニ依ルモ之ハ中止ス可キモノ
金沢幸一三	〃	〃	農業土木研究所	
伊藤智夫	〃	〃	農商省	以上二名協力会ニ依ル

東京1529

東京帝國大學

林第七六號

昭和十九年七月十一日

東京帝國大學農學部林學科

事務室 御中

學徒勤労動員出動者氏名報告ノ件

標記ノ件ニ関シ國民勤労報國協力令ニ依ラザル學徒勤労動員者氏名別紙ノ通リ及報告候也

B列5

東東1259番

東京帝國大學

国民勤労報国協力令ニ依ラザル学徒勤労

動員出動者氏名報告書

出動者氏名	学年	学科	出動先	出動場所
榎本雄二郎	三年	林業	陸軍航空技術研究所	東京都立川市 第一陸軍航空技術研究所
七澤喜男	三年	林産	海軍航空技術廠	神奈川県横須賀市浦郷
村本覺四郎	二年	〃	〃	〃
原田三治	二年	林業	陸軍航空技術研究所	東京都立川市
計　四名				

B列5

東京帝國大學

林第七五號

昭和十九年七月十一日

東京帝國大學農學部林學科

事務室　御中

學徒勤勞動員出動者氏名報告ノ件

標記ノ件ニ関シ國民勤勞報國協力令ニ依ル學徒勤勞動員出動者名別紙之通リ及報告候也

B
列
5

東東1259番

東京営林局出動学生名簿（昭和十九年七月五日）

出動者氏名	学科	学年	出動先	出動場所
石田常彦	林業	三年	長岡営林署	新潟縣長岡市
市原睦夫	〃	〃	東京営林局	東京都麹町區虎ノ門
大迫壽男	〃	〃	六日町営林署	新潟縣南魚沼郡六日町
熊川明雄	〃	〃	長岡営林署	新潟縣長岡市
佐々木承夫	〃	〃	六日町営林署	新潟縣南魚沼郡六日町
須賀敬孝	〃	〃	福島営林署	福島縣市大字曽根田
長井啓三	〃	〃	長岡営林署	新潟縣長岡市
藤井博	〃	〃	六日町営林署	新潟縣南魚沼郡六日町
山崎鵬太郎	〃	〃	長岡営林署	新潟縣長岡市
藍原義邦	〃	二年	福島営林署	福島市大字曽根田

東京帝國大學

伊藤達次郎	林業	二年	水上営林署	群馬縣利根郡水上村
小山日出夫	〃	〃	大田原営林署	栃木縣那須郡大田原
上田太郎	〃	〃	仝	仝
富岡二郎	〃	〃	村上営林署	新潟縣岩船郡村上本町
野口一郎	〃	〃	仝	仝
渡邊隆司	〃	〃	仝	仝
石崎澤	〃	〃	大田原営林署	栃木縣那須郡大田原
立石正夫	〃	〃	仝	仝
渡邊章	〃	〃	水上営林署	群馬縣利根郡水上村
泉静雄	林産	〃	矢板営林署	栃木縣塩谷郡矢板町
繁澤静夫	〃	〃	仝	仝
菅野蓑作	〃	〃	仝	仝

東京帝國大學

B列4

鈴木寧	〃	〃	高崎営林署	高崎市八島町
北村博嗣	〃	〃	仝	仝
早川次郎	〃	〃	仝	仝
伊藤長	〃	〃	富岡営林署	福島県双葉郡富岡町
芝辻英夫	〃	〃	仝	仝
古谷弘三	〃	〃	仝	仝
山口隆太郎	〃	〃	福島営林署	福島市大字曽根田
中新井滉	〃	〃	仝	仝
森岡茂夫	〃	〃	水上営林署	群馬県利根郡水上村
合計　三十一名				

東京帝国大学

昭和十九年七月十八日　獣醫學科（印）

事務室　御中

配屬將校ヨリ申越有之、學徒動員者氏名別紙ノ通ニ付及回答候也。

B列5

學徒動員者氏名

出動者氏名	學科學年		出動先	出動場所（何縣何郡何町）
浅野善之	獣醫學科	三學年	陸軍獣醫學校	東京都世田谷区下代田町
雨宮春彦	同	同	同	同
伊藤傑一郎	同	同	同	同
石井安雄	同	同	同	同
代原徳男	同	同	同	同
臼井和哉	同	同	同	同
小木曽庚二	同	同	同	同
澤宗哲	同	同	同	同
新藤八郎	同	同	同	同
戸田忠敬	同	同	同	同

東京帝國大學

徳田力	獣醫學科	三學年	陸軍獣醫學校	東京都世田谷区下代田町
野口一郎	同	同	同	同
安引公二	同	二學年	同	同
石田葵八	同	同	同	同
斉藤潔	同	同	同	同

東京帝國大學

B列4

出動者氏名	学科	学年	出動先	出動場所
石井 洋二	水産	二	水産実験所	愛知県知多郡旭村
猪谷 貞二	〃	〃	〃	〃
木場 重臣	〃	〃	〃	〃
杉本 仁弥	〃	〃	〃	〃
高尾 栖造	〃	〃	〃	〃
竹内 脩	〃	〃	陸軍糧秣本廠	深川出張所
秦 満夫	〃	〃	水産実験所	〃
丸茂 隆三	〃	〃	〃	〃
水江 一弘	〃	〃	〃	〃
宮村 光武	〃	〃	〃	〃
杉浦 一郎	〃	〃	〃	〃

東京帝國大學

東京帝國大學農學部 水産學

氏名			勤務先	住所
島巣 英夫	〃	三	〃	〃
山田 隆士	〃	三	〃	〃
吉崎 司郎	〃	〃	〃	〃
秋谷 年見	〃	〃	学内	
五味 虎一	〃	〃	〃	
中井 久雄	〃	〃	株式会社林兼商店	朝鮮東海岸ニ行ク旨報知シ来ルモ未ダ其地ヨリノ報ニ接セズ
松本 繁実	〃	〃	陸軍糧秣本廠	深川区越中島町
村上 豊	〃	〃	学内	
村山 繁雄	〃	〃	北海道水産試験場	北海道余市町
山川 健重	〃	〃	学内	
山本 光	〃	〃	西太平洋漁業統制株式会社	麹町区丸ノ内、丸ビル内

東京帝國大學

B
列
4

昭和十九年七月十一日

軍務室　御中

農業工學教室

學徒動員者氏名ノ件

配屬將校ヨリ照會ノ標記ノ件別紙ノ如ク及御回答ト

東京帝國大學農學部農業工學教室

記

一、協力令ニヨリ出動ノ者

出動者氏名	学科	学年	出動先	出動場所
天野啓一郎	農土	三	農業工学教室	東京都本郷区向ヶ丘弥生町 農学部
茶谷 仁	〃	三	〃	〃
渡会末彦	〃	三	〃	〃
青山正義	〃	二	千葉県庁耕地課	千葉県海上郡旭町 大利根用水改良事務所 気付
井上 弘	〃	二	〃	〃
伊佐 務	〃	二	〃	〃
金沢 敬	〃	二	〃	〃
須藤嘉郎	〃	二	〃	〃
片岡隆四	〃	二	満洲国	満洲国吉林省郭爾羅斯前旗、前郭旗、第二松花江開発本部
金城哲雄	〃	二	〃	〃

東京帝國大學農學部農業工學教室

杉本郁郎	農士	〃	満洲国	満洲国吉林省郭爾羅斯前旗、前郭旗、第二松花江開発本部
長崎 明	〃	〃	〃	〃
鷹尾勇彦	〃	〃	〃	〃
茶谷一男	〃	〃	〃	〃
松井芳明	〃	〃	〃	〃
水谷嘉隆	〃	〃	〃	〃
山本 純	〃	〃	〃	〃
吉松雄太郎	〃	〃	〃	〃

二、協力令ニヨラヌモノ

高橋嘉一郎	農士	〃	陸軍航空本部施設課学班	三重県度会郡北浜村陸軍航空本部明野工事本部
宮島敏光	〃	〃	〃	〃第二特設作業隊気付

東京帝國大學農學部農業工學教室

東京帝國大學

林産学

私費大学院 尾田義治

大学院特別研究生 多田常喜代

〃 松井光瑤

〃 林大九郎

南方科学研究所 瀬野浩怡

大学助手 浜清庸

海軍依託生 七沢喜田男

林業学

病気 白柳勇彦

林業試験場 林安之

大学院 平間雅男

B列5

東東1529

東京帝國大學

五八九

東京帝大學第二五九號

昭和十九年七月十日

學生課長　大室貞一郎

農學部長　三浦伊八郎　殿

工場事業場等勤勞動員學徒用作業衣配給ニ關スル件

標記ノ件ニ關シ農商省繊維局長、厚生省勤勞局長並ニ文部省總務局長ヨリ別紙寫ノ通リ申越候條委曲右ニテ御了知ノ上可然御配意相煩度此段依命及移牒候也

農化、林、獸、水、經、兵　御中

一九纖局第四五一六號

昭和十九年六月廿八日

農商省纖維局長　篠山千之

厚生省勤勞局長　中村敬之進

文部省總務局長　藤野恵

大學高等專門學校長

教員養成諸學校長　殿

工場事業場等勤勞動員學徒用作業衣配給ニ關スル件

工場事業場ニ於ケル學徒勤勞ニ必要ナル作業用品類ノ給與ニ付テハ發動總第一一號文部省總務局長、厚生省勤勞局長、軍需省總動員局長連名通牒ノ次第モ有之候處工場事業場等勤勞動員學徒ニ對シ差當リ左記各項ニ依リ作業衣ヲ配給相成ルベキニ付之ガ實施上萬遺憾ナキヲ期セラレ度

此段及通牒候也

東京帝國大學

記

一　動員學徒用作業衣ハ學校等ニ割當ツルコトヽシ其ノ割當數量ハ之ヲ劃一的ニ決定スルコトナク動員學徒數並ニ學徒勤勞ヲナス產業及作業ノ種類ニ依ル損耗度等ヲ考慮シテ決定スルコト

二　前項ノ學校割當ハ中等學校以下ノ學校ニ關シテハ一括都道府縣ニ割當タル數量ニ付地方長官ニ於テ第一項ニ依リ各學校毎ノ割當ヲ決定スルコト但シ既ニ受入側ヨリ作業衣ノ支給又ハ貸與ヲ受クルモノニ付テハ當該學校ノ割當數量ヲ加減スルコト

三　動員學徒用作業衣ノ需給ヲ調整スル爲學徒用訓練服ノ一部ニ付テモ之ヲ動員學徒用作業衣トシテ轉用配給スルモ右訓練服ノ配給ハ纖維製品配給消費統制規則第二十條ノ規定ニ依ル業務用衣料品購入票ト引換ニ之ヲナスコト

四　學校ニ割當ラレタル動員學徒用作業衣ハ當該學校報國團ニ於テ團費又ハ當該學校報國團ニ於テ保管スル報償金ヲ以テ一括購入シ動員學徒

東東一二五九

ニ貸與スルコト

五　割當數量ノ都合ニ依リ學校ヨリ動員學徒用作業衣ノ貸與ヲ受ケ得ザル動員學徒ニ對シテハ出動先工場事業場ニ於テ極力其ノ手持品等ヲ按配シテ貸與スル如ク措置スルコト

六　動員學徒ノ配置轉換等ニ依リ動員學徒數竝ニ學徒勤勞ヲナス產業及作業ノ種類ニ依リ損耗度ニ著シク變動ヲ生ジタル場合ハ學校間ニ於テ彼此轉換讓渡セシムル等適切ナル措置ヲ講ズルコト

備考

1　大學高等專門學校別及都道府縣別割當數量ハ別途指示スルコト

2　纖維製品配給消費統制規則第二十條ノ規定ニ依ル業務用衣料品購入票ノ發行ニ付テハ從來ノ發行方法ニ依リ發行スルコト

回覧　学徒動員ニ伴フ経理部依託学生
実務実習ノ件
大才五八〇号

昭和十九年七月八日

農學科
農藝化學科
林學科
獸醫學科
水産學科
農業經濟學科
農業土木學科

事務室
演習林
農場
水産實驗所
御中

49

東京帝國大學

農學部 五八〇

東大庶第八八七號

昭和十九年七月六日

東京帝國大學庶務課長

農學部長殿

學徒動員ニ伴フ經理部依託學生實務實習ノ件

客月七日附東大庶第八八七號ヲ以テ及通知置候標記ノ件ニ關シ今般右實習地變更方陸軍航空本部經理部長ヨリ別紙寫ノ通申越候條右御了知相成度候也

東京帝國大學

（寫）

航普第八七一八號

學徒動員ニ伴フ經理部依託學生實務實習地變更ノ件通牒

昭和十九年六月三十日　陸軍航空本部　經理部長　印

東京帝國大學總長殿

昭和十九年六月三日航普第七三七二號ニヨリ當部ニ於テ實務實習中ノ委託學生ノ教育ハ七月末日（第二學年生ハ九月末日）ニ到ル間ハ本部ニ於キテ實施ノ豫定ナリシモ現戰局ニ伴フ工事實施ノ爲一時本部教育ヲ中止シ來ル七月一日ヨリ左記ニ依リ現場ニ於ケル實務實習教育ヲ繰上實施スル筈ニ付承知相成度通牒ス

記

一、科別氏名　土木工學科學生　森　博　以下七名

二、現場業務實習位置　三重縣度會郡北濱村野村　陸軍航空本部經理部　明野工事本部

三、現地教育　明野工事本部工事長　陸軍中尉　大澤　俊雄

50

六一八

東大庶第二〇六號ノ四

昭和十九年七月二十二日

東京帝國大學庶務課長

農學部長殿

學徒勤勞動員ニ伴フ軍事教育ノ實施ニ關スル件

本年三月九日附東大庶第二〇六號ヲ以テ教育ニ關スル戰時非常措置方策ニ伴フ學徒ノ軍事教育強化要綱ニ關シ及移牒置候處標記ノ件ニ關シ文部次官ヨリ別紙寫ノ通通牒越候條依命此段及移牒候也

（寫）

發體二八號

昭和十九年七月八日

文部次官　菊池豐三郎

直轄學校長
公私立大學高等專門學校長　殿
地方長官
（但シ女子ノ學校及盲聾唖ヲ除ク）

學徒勤勞動員ニ伴フ軍事教育ノ實施ニ關スル件

學校ニ於ケル軍事教育ニ關シテハ本年二月八日附發體二八號依命通牒學徒軍事教育強化要綱ニ基キ實施スベキ所ナルモ、特ニ勤勞動員出動中ニ於テハ勤勞要請ノ現況ニ鑑ミ別紙ニ依リ實施スルコトト決定相成リタルニ就テハ右ニ基キ適切ナル措置ヲ採リ軍事教育所期ノ目的ヲ達成セラルル樣致度此段及通牒

學徒勤勞動員ニ伴フ軍事教育實施ニ關スル件

第一 方針

學徒勤勞動員ニ伴フ教練ハ勤勞動員ヲ妨ケサル時期、場所及方法ニ依リ學徒軍事教育强化要綱ノ趣旨ニ則リ其ノ目的ヲ達成スル如ク實施スルモノトス

第二 要領

一、學徒勤勞動員中ニ於ケル教練ハ勤勞作業トノ調和ヲ圖リ土地ノ情況等ニ即應シテ出動地附近ニ於テ實施容易ナル重要課目ニ重點ヲ指向スルト共ニ動員ノ全期間ヲ通シ精神教育、內務教育ニ徹底シ教練ノ成果ヲ勤勞作業ニ具現實行セシメ特ニ軍人精神ノ涵養、軍紀ノ振作指揮能力ノ向上等ニ務メ且ツ學徒ノ保育ニ付遺憾ナキヲ期スルモノトス

二、勤勞動員中ニ於ケル教練ハ教育ノ爲一週六時間ヲ充當シ得ル場合一週三時間ヲ原則トシテ實施スルモノトス但シ特ニ勤勞ノ要請アル場合ニ在リテハ之ヲ減シ又ハ行ハサルコトヲ得

勤勞動員中ニ於テ實施シタル時機ト勤勞動員ニ服セシ期間ニ於テ學徒軍事教育強化要綱ニ示ス普通時數ニ依リ實施シタル時數ノ合計ヲ以テ一年時數ト看做スコトヲ得ルモノトス

三、軍事講習、聯合演習、野外演習及軍事教習並ニ海軍軍事教習ハ四ヶ月以上ノ動員ニ於テ勤勞ノ要請アル場合ハ動員期間ニ應ジ其ノ日（時）數ヲ減シ又ハ之ヲ行ハサルコトヲ得ルモノトス

四、前二項ノ措置ヲ爲サントスル場合ニ於テハ大學高等專門學校長ハ豫メ陸軍軍事教官ノ所管長官、海軍軍事教習ニ就テハ海軍軍事教官ノ所管長官ト協議シタル上其ノ採リタル措置ニ付文部大臣ニ報告スルヲ要シ、其ノ他ノ學校長ハ豫メ地方長官ノ承認（地方長官ハ當該學校陸軍軍事教官ノ所管長官ト協議ノ上）ヲ經ルヲ要スルモノトス

後段ノ場合中海洋訓練ニ就テハ地方長官ハ其ノ採リタル措置ニ付文部大臣ニ報告スルヲ要ス

五、學校長ハ動員中ノ教練ヲ容易ナラシムル爲體操、武道等ノ擔當教職員ヲシテ、要スレバ他ノ教職員中豫備役將校、下士官タルモノヲシテ教練ニ協力スルヲ得シムルモノトス

廻覧

学徒動員実施要綱ニ依リ動員中ノ学徒ノ体力検査ニ関スル件

大才六〇九号

昭和十九年七月廿日

事務室

~~演習林~~
~~農場~~
~~水産實驗所~~

御中

農學科
農藝化學科
林學科
獸醫學科
水産學科
農業經濟學科
農業土木學科

一應回覧ノ後各學科ニ写一通宛送付ス

51.

東京帝國大學

六〇九

学才二七〇号

昭和十九年七月十五日

東京帝国大学学生課長

農學部長三浦伊八郎殿

学徒勤員実施要綱ニ依リ勤員中ノ学徒ノ作ル標章ニ関スル件

標記ノ件別紙ノ通リ通牒有之候ニ付此段及移牒候也

健発第二六五号

昭和十九年六月二十九日

厚生省健民局長 印

各直轄學校長 殿

學徒動員実施要綱ニ依リ動員中ノ学徒ノ
体力検査ニ関スル件

國民体力法ニ依ル要検査被管理者ニシテ学徒動員実施要綱ニ依リ長期間ニ渉リ勤労動員中ノ学生、生徒ノ体力検査ニ付テハ左記ニ依リ実施相成度

記

一 体力検査施行ノ責任者ハ被管理者ノ在学スル学校長ナルコト、
而シテ検査ノ実施ニ当リテハ検査時期ノ決定、検査場選定等ニ付

東京帝國大學

一、動員受入側タル工場事業場等ト緊密ナル連繋ヲ図ルハ勿論醫師其ノ他事務従事者、検査ニ要スル設備、資材ニ関シテモ工場事業場等ノ積極的協力ヲ為サシムルコト

二、体力検査結果報告ニ付テハ検査ノ責任者タル学校長ヨリ従来ノ例ニ依リ集計ノ上報告セシムルコト

三、出動中ノ学徒ノ体力検査ノ成績ニ付テハ工場事業場等ノ責任者ニモ十分之ヲ知ラシメ学徒ノ健康管理ニ付積極的協力ヲ為サシムルコト、之ガ為出動学徒ニ関係アル体力検査成績ヲ学校長ヨリ工場事業場等ニ通知セシメ又体力検査票ハ出動期間中便宜工場事業場等ニ於テ保管セシムルコト

四、動員中ノ学徒ノ体力検査ニ要スル経費ハ総テ学校側ニ於テ支出スルコトトシ従前ノ例ニ依リ直接厚生大臣ノ指揮監督ヲ受クル学校ニ在リテハ学校長ヨリ厚生省ニ請求スルコト

8 列 4

(東東 4109)

52

東京帝國大學

昭和十九年七月二十一日

農業経済学科主任
東畑精一

農学部長三浦伊八郎殿

一、三年相当学生ノ出動者氏名報告ニ関スル件

標記ノ件ニ関シ当学科三年相当学生ノ勤労動員ニ出動致ス者ノ氏名ハ左記ノ通リニ付御報告申上候

記

矢野勇、柳沢英範、有田作、兒玉賀典。

尚人員割当ハ三名ノ処一名追加出動致ス事ト相成候。

B列5

53

農學部 諸第三三四號

獸醫

東師獸第四〇五號

學徒動員ニ伴フ獸醫部依託學生、生徒實習ニ關スル件

昭和十九年七月十四日　東京師團獸醫部長

東京帝國大學農學部長殿

首題ノ件、來ル七月二十日陸軍獸醫學校ニ派遣セラルルコトニナル筈ニ付予メ内連絡ス

追ツテ文部省ヨリ近日通牒セラルヘキモ予メ準備シ置カレ度申添フ

東部軍參謀長ヨリ
学徒勤勞動員ノ指導ニ関スル件通牒
事務室

回覧
諸才三二八号
昭和十九年七月十一日

演習林
農場
水産實驗所
御中

農學科
農藝化學科
林學科
獸醫學科
水産學科
農業經濟學科
農業土木學科

54

農學部 三二八號

學部長
書記官
各學科主任

東軍學第一五三號

學徒勤勞動員間ノ指導ニ關スル件通牒

昭和十九年七月四日

東部軍參謀長

東京帝國大學農學部長殿

時局ノ要請ニ基キ學徒ノ勤勞動員ト共ニ玟練ニ依リ近ク軍幹部要員タラシムヘキ學徒ノ資質向上ノ爲之カ指導ニハ劃期的ノ處置ヲ要スヘク被存候ニ就テハ左記ノ點特ニ御考慮ノ上之カ完璧ヲ期ラレ度依命及通牒候也

追テ軍事教官ニモ本趣旨ニ依ル學徒指導ニ遺憾ナキ如ク指示致置候條申添候

左記

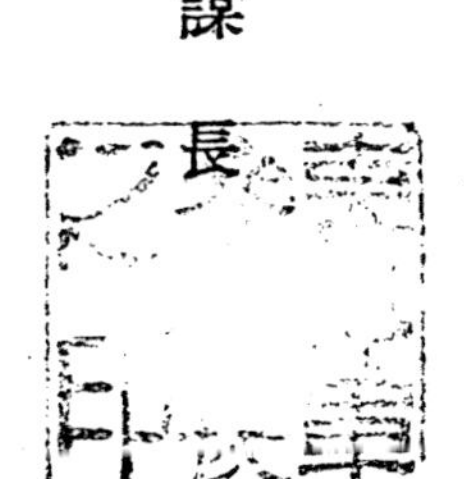

一、學徒ノ勤勞先特ニ通年勤勞作業場ニ屢〻軍事教官ヲ派遣シテ勤勞即教練ノ實ヲ發揮シ萬難ヲ排シテ精神、體力、能力ノ向上ヲ計ラシム

二、通年動員中萬一在校期間ヲ有スル場合ハ該期間ニ教練教授時數ヲ可及的ニ强化シ以テ年度ノ教練到達目標ノ低下ヲ防止ス

学部長
書記官

案

農学部
諸第三三五号
学徒勤労動員ニ関スル件回答

七月十二日一九札幌燃発第二六号ヲ以テ御照会ニ係ル標記ノ件
本学部ニ於テハ貴所ニ出動希望ノ学生無之候条此段
及御回答候也

年　月　日

学部長

札幌地方燃料局長宛

東京帝國大學

B
列
4

昭和十九年七月十七日

農藝化學科

事務室　御中、

學徒勤勞動員ニ關スル件照會、

農學部諸第三三五號ヲ以テ御申越有之タル首題ノ件ニ關シ當學科ニ於テハ其所ヘ出動希望學生無之ニツキ可然御回答相成度此段及御移候也、

B列5

農學部 諸第二三五號

一九札務國第 二六 號

昭和十九年七月十二日

札幌市南六條西二丁目七

札幌地方燃料局長

東京帝國大學農學部長 殿

化

學徒勤勞動員ニ關スル件照會

貴部ノ件ニ關シ今般其ノ筋ヨリ大學農藝化學二名專門學校農藝化學一名計參名ノ學徒勤勞動員割當數決定通知有之候ニ付貴校學生ニ於テ本局軍需省札幌工場ニ出動ヲ希望致ス學徒無之候ヤ御照會申上候條至急御回報被下度願上候

尚學徒勤勞動員受入措置要綱拔粹再添候ニ付就職ノ參考資ト下度候

一、[illegible]節

工場事業場等學徒勤勞動員受入措置要綱拔粹

第一 方針（省略）

第二 要領

一、協力申請（請求）（省略）

二、受入準備

(一)學校報國隊ノ動員決定シタルトキハ直ニ學校當局ト緊密ニ事前連絡ヲ行フコト

(二)職員中學校長トノ連絡者ヲ特定シ置キ學校トノ連絡ニ當ラシムルト

(三)事前連絡ヲ要スル事項左ノ如シ

一、作業內容

一、勤勞時間、食事給與其ノ他勤勞條件

一、宿舍ノ狀況、保險施設特ニ醫療ニ關スル設備

一、其ノ他必要ナル事項

(四)事前ニ係員ヲ學校ニ派遣シ教職員ト協力シ出動スベキ學徒ニ對シ所要ノ豫備知識ヲ與フルコト尙出來レバ準備訓練ヲ實施スルコト

(五)學徒動員受入事務擔當者、作業指導者、作業指導補助者、其ノ他ノ係員ヲ選任スルコト

一〇　報償

(一)基本報償

大學	月額	七〇圓	(採用給八拾五圓)
專門學校	〃	六〇圓	
中等學校以下	省略		

特別報償　(別表ノ通リ)

(二)(三)(四)　(省略)

(五)受入側ハ毎月一定期日ニ基本及特別報償ノ別ニ依リ明細書ヲ附シ一括學校報國隊長ニ納付スルコト

一一　實費算償

(一)通勤交通費

(二)宿泊通勤費

(三)父母妻子死亡（危篤ノ場合ヲ含ム）ノ場合歸省往復旅費又ハ死亡ノ場合ハ家族出頭滞在ノ場合往復旅費滞在費ヲ二人分支給ス

一二　其ノ他

(一)１－(四)（省略）

(五)派遣責任者及隊員ニ對シテハ交通費旅費其ノ他必要ナル經費ハ別途指示ス

（別表）

特別報償等定基準

(一)残業ニヨルモノ

一人一時間ニ付基本給月額ノ $\frac{1}{200}$

(二)深夜就業

一人一回　一圓

(三)賞與又ハ臨時給與

一般従業員ノ例

(四)協力終了ノ際

一人ニ付基本給月額ノ $\frac{1}{3}$

弔慰金基準

(一)業務外死亡　三〇〇圓

(二)業務上　五〇〇圓

三一九號

被總教第七八一五號

動員學生ニ對スル學科講義出席ノ件回答

昭和十九年七月十三日

陸軍被服本廠長

東京帝國大學農學部長　殿

諸第三一九號ニ依ル首題ノ件左記ノ通リ出席セシムヘキニ付承知相成度

記

一、出席者　上田清基（一名）

二、出席日　毎週日曜日

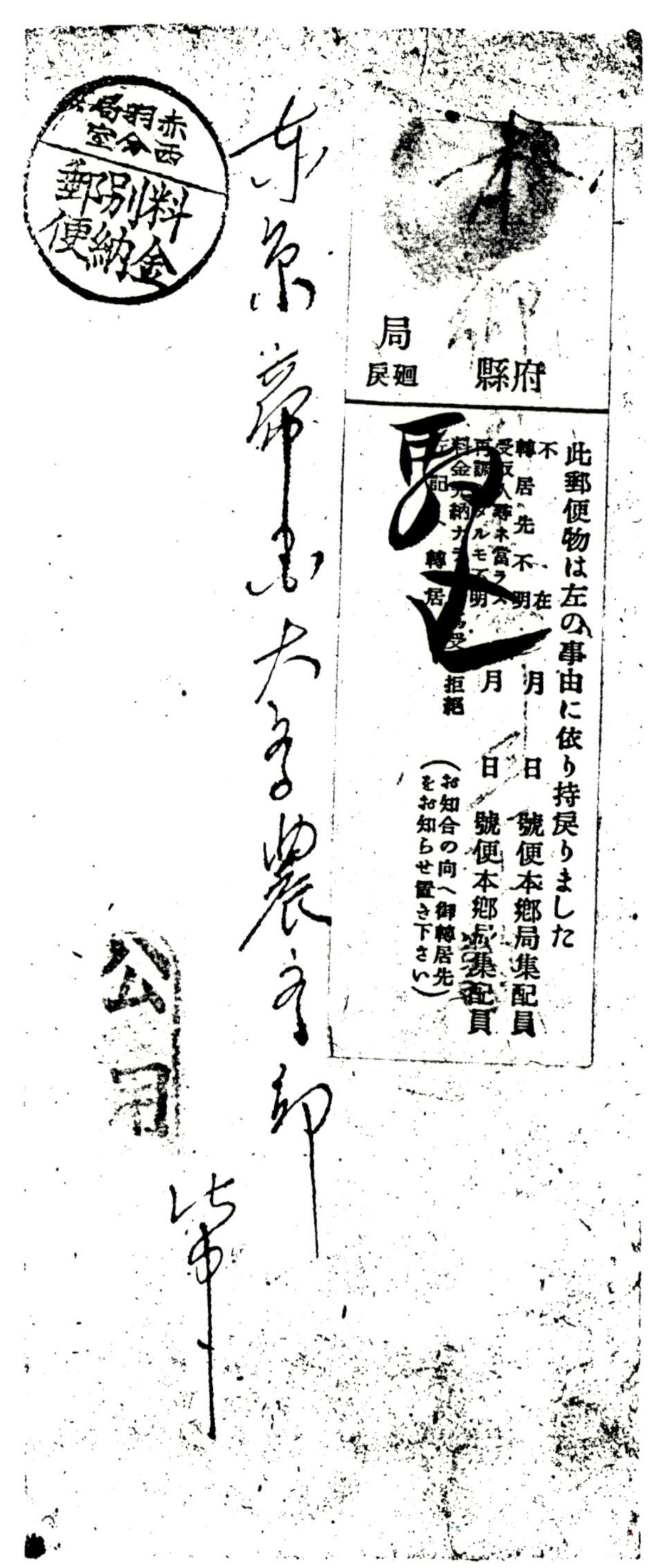
料金別納郵便

府 縣 廻 戻 局

此郵便物は左の事由に依り持戻りました

不在 月 日 號便本郷局集配員

轉居先不明

受取人尋ネ當ラズ

再調ベルモ不明 月 日 號便本郷局集配員

料金不納ナラ受取拒絶

右記轉居

(お知合の向へ御轉居先をお知らせ置き下さい)

東京帝国大学農学部

公用

58

昭和19年7月15日起案

書記

書記官

學部長

案

農學部大築六〇二號

學徒勤勞動員委員ニ關スル件

右ニ關シ本學部ニ於テハ教授職農秀俊ニ

致度候條可然御取計相煩度候也

年　月　日

東京帝國大學農學部

東京帝國大學醫學部

學部長

庶務課長殿

一部
農 部第三四〇號

陸軍省よりの通牒本村町

獸醫第一一一號
昭和一九、七、一七

陸軍省兵務局獸醫課　荒井中佐

學部長
獸醫學科主任

東京帝國大學
農學部獸醫學科主任　殿

獸醫學徒勤勞動員請入陸軍部隊ニ於ケル軍陣獸醫學教育援助ニ關シ別紙ノ通請入部隊ニ通牒シアルニ付御承知相成度

連絡先
東大農學部獸醫學科主任、北大農學部畜產學科ニ部主任、東京、盛岡、宇都宮、岐阜、鳥取、鹿兒島、宮崎、水原、各農林專門學校獸醫畜產科主任、帶廣獸專、大阪高獸、日本高獸、東京高獸、麻布獸專各校長

動員學徒軍醫教育援助要綱案

第一　方針

學校卒業後直ニ軍醫部幹部タリ得ル如ク必要ナル職能ヲ附與シ以テ動勞ト相俟テ當面ノ戰爭遂行増強ニ寄與ス

第二　要領

一、本教育ハ許入部隊ニ於テ學校側ニ協力スルモノトス

二、教育ノ内容左ノ如シ

㈠本教育ハ軍醫部幹部タルニ直接必要ナル實際的事項ヲ主トシ援助スルモノトス

㈡教育スヘキ課目、其ノ内容及充當スヘキ時間ハ別表第一ノ如シ教育ハ努メテ機會ヲ捉ヘテ實習ヲ行ハシムルモノトス

㈢教育ヲ計畫スルニ當リテハ學校側ト協議シ特ニ軍事教育ト密接ナル連繫ヲ保タシムルモノトス

㈣大學專門學校及學年ノ區分ニ依リ左ノ如ク各別集合教育ヲ施スモ

ノトス

第三學年　醫[illegible]部幹部タルニ必要ナル内容ニ徹シ職能ヲ實際ニ演練セシムル如ク實施シ特ニ醫[illegible]勤務、診療及防疫ヲ重視ス

第二學年　各課目毎ニ努メテ基礎的事項ヲ重視シ實習ニ教育シ理解ヲ容易ナラシムルモノトス

(五)勤務作業ハスヘテ專門職能ヲ活用シ得ヘキモノノミナルヲ以テ作業教育ヲ本教育ノ一部トシテ實施シナシ得レハ適切ナル配置ノ變換ヲ行ヒ職能ノ偏重ヲ避ケツツ實技ヲ演練セシムル如ク處置スルモノトス

勤務作業ノ本教育實習トシテノ利用例別紙第二ノ如シ

(六)本要綱ハ一般要領ヲ示シタルモノニシテ各部隊夫々其ノ特性ヲ活用スルコトニ努メ成果ヲ發揚スルモノトス

三、教官

㈠學校側ニ援助スヘキ教官及助教ニハ適任ノ醫學部將校及同下士官（判任文官）ヲ充ツルモノトス

㈡二校以上動員ヲ受クル部隊ニ在リテハ學校側ニ於テ相互協議ノ上教授ヲ融通シ各課目ノ分擔ヲ定ムル如ク取計フモノトス

㈢援助スヘキ教官ハ勤務學徒監督官、同指導官及學校側教職員及軍事教官ト常ニ密接ニ連繫シアルヲ要ス

四 教育時間

㈠教育ニ充當スヘキ時間ハ作業休憩中毎日概ネ二時間（夜間ヲ含ム）トシ特ニ學科ニ在リテハ夜間若クハ起床ヨリ朝食迄ノ時間ヲ利用ス

㈡作業休憩中作業ニ關連シ機會教育實施ニ務ムルモノトス

三、教育器材

備付器資材ハ本教育ノ爲貸與シ藥物消耗品ニシテ已ムヲ得サルモノハ支給スルコトヲ得

別表第一

動員獸醫學徒軍隊獸醫學教育基準表

課目	教育事項	毎週平均教育時間 二年	三年
陸軍獸醫部勤務	陸軍獸醫部ノ制度、勤務ノ大要及關係法規ニ關シ修得セシム	一、五	二
軍隊防疫學	主要家畜傳染病ノ病原、診斷及豫防ノ大要ニ關シ修得セシメ努メテ簡易ナル細菌免疫學的診斷及防疫ヲ實習セシム	二	二
軍隊病理學	家畜病理各論ノ大要特ニ重要疾病ノ病理學的診斷ニ關シ修得セシメ機會ヲ捉ヘテ病屍解剖及組織檢査ヲ野戰的ニ實習セシム	一、五	
軍隊內科學	重要家畜內科病特ニ馬ノ戰病ノ原因、診療及豫防ノ大要ニ關シ修得セシメ各種野戰的診斷及機會ヲ捉ヘテ診療ヲ實習セシム	一、五	一、五
軍隊外科學	重要家畜外科病特ニ馬ノ戰病ノ原因、診療及豫防ノ大要ニ關シ修得セシメ各種野戰的診斷及機會ヲ捉ヘテ外科手術ヲ實習セシム	一、五	一、五

<table>
<tr><td>軍陣衛生學</td><td>家畜特ニ馬ノ飼養管理、育成、使役、輸送及熱地寒地衛生並化兵症ニ關シ修得セシメ努メテ飼養管理、育成使役ノ實際ヲ體驗セシメ指導ス</td><td>一、五</td><td>一、五</td></tr>
<tr><td>軍陣蹄鐵學</td><td>造蹄及裝蹄大要ニ關シ講授シ努メテ實習ヲ課ス</td><td></td><td>一</td></tr>
<tr><td>軍用動物學</td><td>軍用動物特ニ馬、犬及鳩ノ能力、檢査、選定、資源及馬政ノ大要並大東亞ニ於ケル代用動物ノ概要ヲ修得セシメ檢査法ヲ實習セシム</td><td>一、五</td><td></td></tr>
<tr><td>畜產學</td><td>家畜ノ增殖改良、飼養管理及畜產物ノ利用加工及之ニ伴フ衛生業務ノ大要ニ關シ修得セシメナシ得レハ屠獸場肉等ノ畜產物檢査ニ付實習セシム</td><td rowspan="2">一</td><td rowspan="2">一、五</td></tr>
<tr><td>飼料作物學</td><td>飼料特ニ代用飼料ノ栽培、調製、檢査ノ大要ニ關シ修得セシメナシ得レハ實習ヲ課ス</td></tr>
<tr><td>獸醫資材學</td><td>獸醫資材ノ一般特ニ其ノ代用品ノ構造、機能、使用法及手入保存法ノ大要ニ關シ實物ニ依リ教育ス</td><td></td><td>一</td></tr>
<tr><td>計</td><td></td><td>一二</td><td>一二</td></tr>
</table>

別表第二

勤務作業ノ軍陣獣醫學實習トシテ利用例

作業ノ種類	編入部隊								補充部支部		中央馬廠
軍陣獣醫學實習利用	支部保管馬放牧	支部保管馬ノ飼養管理	支部保管馬ノ削蹄	病馬診療及看護	支部保管馬ノ去勢	支部防疫作業	農耕作業	飼料調製	保管馬ノ鍛錬調教及保育	輸出入馬ノ檢疫	防疫消毒作業
防疫						○				○	○
病理				○							
内外科				○	○						
衛生	○	○							○		
動物	○								○		
畜産											
作物							○	○			
資材											
勤務	○	○	○	○	○	○			○	○	○
蹄鐵			○								

獸醫資材廠					獸醫學校									
獸醫資材ノ梱包發送	獸醫資材ノ手入修理保全	獸醫資材ノ檢査及研究	製劑	蹄鐵蹄釘ノ製造	飼料ノ栽培調製	家畜ノ飼養管理	病馬及試驗馬ノ診療看護	同 裝蹄	校馬試驗馬血清馬ノ飼養管理	馬衛生研究作業	蹄鐵製造	血清豫防液診斷液ノ製造	保管馬ノ裝蹄	病馬ノ診療及看護
○		○								○		○		
○		○					○			○				
○		○					○			○				○
○		○				○			○	○				
		○							○	○				
		○								○				
		○			○					○				
○	○	○		○						○				
○	○	○		○	○	○	○	○	○	○	○	○	○	○
		○		○				○		○	○		○	

學部長
書記官

案
大五乙

學徒動員ニ關スル件

動學第三五八號ニ依リ七月二十日ヨリ陸軍獣醫學校ニ出動中ノ本學部獣醫學科學生中別記弐名科學研究補助トシテ別紙ノ通滿洲調査研究ニ從事致サセ度ニ付御承認方可然御取計相成度候也

年　月　日

部長名

東京帝國大學

學生課長宛

東京帝國大學

B
列
4

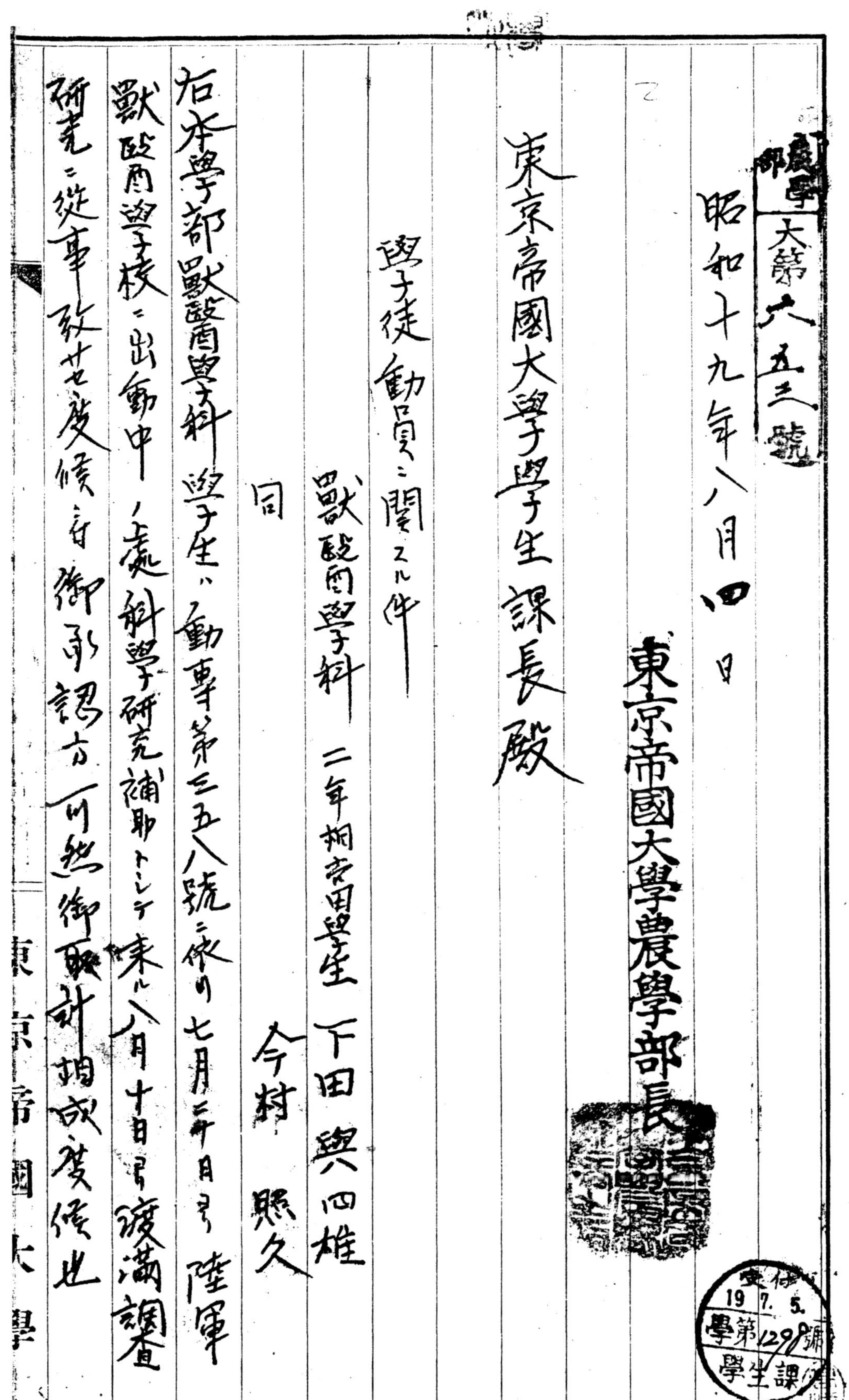

農學部
大第六五三號

昭和十九年八月四日

東京帝國大學農學部長

乙

東京帝國大學學生課長殿

學徒動員ニ關スル件

獸醫學科 二年 捌宮田學生 下田與四雄

同 今村照久

右本學部獸醫學科學生ハ動員第三五八號ニ依リ七月二十一日ヨリ陸軍獸醫學校ニ出動中ノ處料學研究補助トシテ來ル八月十日ヨリ渡滿調査研究ニ從事致サセ度候條御承認方可然御取計相成度候也

受付 19 7. 5. 學第1298號 學生課

東京帝國大學

記

一、旅行先　滿洲國各地

一、期間　自八月十日 至九月三十日　五十二日間

一、目的　文部省科學研究ニ係ル「大陸ニ於ケル軍馬資源培養ニ關スル調査研究」實施ノ爲

一、事由　馬ノ生態測定術者及補助トシテ調査研究ニ從事

一、指導者　東京帝國大學助手　野村晋一

註　教室ヨリ、獸醫學校ヘ文部省ニ内交渉済ナル由

尚獸醫學校右二名ニ動員取消ノ書類ヲ文部省ヘ提出相成ル様

教室ヨリ連絡致ス予定

田中教授ヨリ再度要求提出ノ予定、ソレ迄止メ置ク

B列4

學徒勤勞動員ニ關スル件　　東京帝國大學農學部

獸醫學科　二年相當學生　下田與四雄

同　　今村照久

右者目下陸軍獸醫學校ニ於ケル學徒勤勞動員作業ニ參加致居候處左記ニ據リ文部省科學研究補助トシテ渡滿調査作業ニ從事爲致度候間御承認相成度此段及御願候也

記

一、旅行先　滿洲國各地

一、期間　自八月十日至九月十日　約一ヶ月間

一、目的　文部省科學研究項目「大陸ニ於ケル軍馬資源培養ニ關スル調査研究」實施作業補助

一、事由　馬ノ生態測定技術ノ補助トシテ作業ニ從事セシム

東京帝國大學

東京帝國大學

調査期間ハ關係ノ調査成績ノ整理、本研究ノ

継續上本年九月卒業豫定ノ三年相當學生ハ

不適當ナルヲ以テ特ニ二年相當學生ヲ選定セリ

一、指導者

東京帝國大學助教授　岡部利雄

東京帝國大學助手　野村晋一

B
列
4

昭和十九年八月四日

獸醫學科主任　田中丑雄

農學部長　三浦伊八郎殿

學徒勤勞動員ニ關スル件ニ付左記ノ通リ照會相成度

此段及御願候也

記

年　月　日

農學部長

文部省專門教育局第一部長殿

東京帝國大學

東京帝國大學農學部獸醫學科

二年相當學生　下田與四雄

二年相當學生　今村照久

右者目下陸軍獸醫學校ニ於ケル學徒勤勞動員作業ニ參加致居候處左記ニ據リ文部省科學研究補助トシテ渡滿調査作業ニ從事爲致度候間御承認相成度此段及御願候也

記

一 旅行先　滿洲國各地

一 期間　自八月十日至九月十日　約一ヶ月間

一 目的　文部省科學研究項目「大陸ニ於ケル軍馬資源培養ニ關スル調査研究」實施作業補助

B列4

東京帝國大學

一　事由

馬ノ生態測定技術ノ補助トシテ作業ニ従事セシム

調査期間ノ關係調査成績ノ整理本研究ノ継續上本年九月卒業豫定ノ三年相當學生ハ不適當ナルヲ以テ特ニ二年相當學生ヨリ選定セリ

一　指導者

東京帝國大學助教授　岡部利雄

東京帝國大學助手　野村晋一

（様式二）農学部御中

學校名・都府縣名

期別（自　月　日　至　月　日）

		傷害ニヨルモノ 原因別												部位別							疾病ニヨルモノ		
		運轉中ノ機械ニ接觸ニヨルモノ	運搬又ハ取扱中ノ物体ニヨルモノ	物体ノ落下顚倒崩壊ニヨルモノ	物体ノ飛来ニヨルモノ 眼ノ	物体ノ飛来ニヨルモノ 其他ニ	圧力ヲ有スル容器ノ破裂ニヨルモノ	高熱物体ニヨルモノ	火薬等ノ爆発ニヨルモノ	電気ニヨルモノ	墜落	打撲	踏抜	頭部	顔部	胸部	背部	腹部	上肢	下肢	結核	傳染病	其ノ他ノ疾病
五日以内ニテ治癒シタルモノ	男																						
	女																						
	計																						
十日以内ニテ治癒シタルモノ	男																						
	女																						
	計																						
十五日以内ニテ治癒シタルモノ	男																						
	女																						
	計																						
二十日以内ニテ治癒シタルモノ	男																						
	女																						
	計																						
二十五日以内ニテ治癒シタルモノ	男																						
	女																						
	計																						
三十日以内ニテ治癒シタルモノ	男																						
	女																						
	計																						
三十日以上ニテ治癒シタルモノ	男																						
	女																						
	計																						
總計	男																						
	女																						
	計																						
備考																							

動体一回歸ノ別紙中様式二ニ歸送附蓉ニ併後送致シ候

学生係　事員係

勤労動員缺席願

東京帝国大学農学部
獣医学科三年 相 岦学生

右者在満ノ父病気看護ノ為八月十五日ヨリ
九月四日迄勤労動員缺席致度此段及御願
候也

昭和十九年八月十四日

右

東京帝国大学農学部長三浦伊八郎殿

回覧

学生課長ヨリ勤労動員学徒ニ対スル食糧配給ニ関スル件

昭和十九年八月四日　大才六五一号

事務室

演習林

農場

水産実験所

御中

農学科

農芸化学科

林学科

獣医学科

水産学科

農業経済学科

農業土木学科

昭和十九年八月十一日

東京帝國大學

六五一

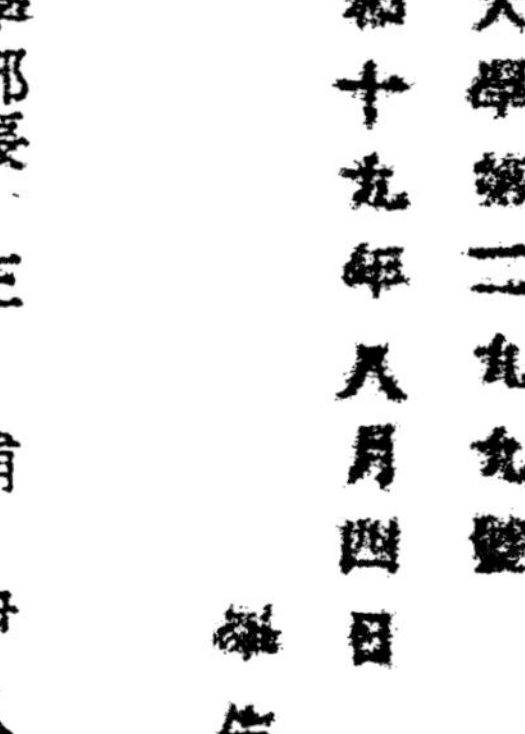

東京帝大學第二九九號

昭和十九年八月四日

學生課長　大　窪　貞　一　郎

農學部長　三浦伊八郎　殿

勤勞動員學徒ニ對スル食糧配給ニ關スル件

標記ノ件ニ關シテハ曩ニ東京帝大學第二八二號ヲ以テ御通牒致置候處東京都內ノ食糧配給取扱ニ關シ今般本郷區長ヨリ別紙寫ノ通申越候條委曲右ニテ御了知ノ上可然御配意相煩度此段照會及御願申候也

經收第五三二號

昭和十九年七月二十二日　本郷區長　山崎平吉

各町會長殿

勤勞動員學徒ニ對スル食糧配給ニ關スル件

標記ノ件ニ關シテハ本年四月十八日付經收第二四一號及五月九日付第二九五號ヲ以テ通牒致候處今般本都經濟局二日ヨリ（七月二十五日ヨリ）特別措置ニ依リ特別配給ヲ實施スルコトヽ相成候條左記事項御留意ノ上可然御取計相成度候也

記

勤勞動員學徒ニ對スル食糧特配（配給）要綱拔萃

一、國民勤勞報國協力令ニ基ク勤員學徒及挺身隊ナル呼稱ニ依リ動員セラレタル各種學校ノ學徒ニ對スル給食用物資ノ配給ハ七月二十五日ヨリ本要綱ニ依リ之ヲ行ヒ從來ノ取扱ヒ方法ハ變更スルコトヽシ區長ノ發行スル主

東京帝國大學

主要食糧配給ハ東京勞務者給食施設聯合會ニ加盟スルモノニ付テハ本月二十五日以降之ヲ停止シ東京勞務者給食施設聯合會加盟ノ工場事業場ニ出動スル學徒以外ノ者ニ付テハ從來通リトス

二 特配物資及配給量

(イ)米穀除ク諸種ノ給食用物資ヲ綜合配給スルモノトス

(ロ)前記配給量ハ學徒ハ出動セル工場事業場ニ於ケル勞務者ニ對スル配給量ニ準ズルモノトス

三 實施方法

(イ)前項ノ物資ハ割當配給勞務者給食用物資ト一括シテ東京勞務者給食施設聯合會ヲシテ割當配給セシムルモノトス

(ロ)同一工場事業場ニ二三ケ月以上國民勤勞報國協力令ニ依リ出動ヲ命ゼラレタル學徒ノ家庭用米穀配給量ハ當該期間中其ノ職種ニ應ジテ甲種乙種丙種トシテ之ヲ取扱ヒ得ルモノトシ右期間經過後ハ從前ノ職種ニ變更スルモノトス

右ノ場合ハ當該工場事業場ヨリ別紙證明書ノ交付ヲ受ケ區長ノ認可ヲ受

東京帝國大學

ケ異動手續ニ依リ割當量ノ訂正ヲ受ケタルコト

(ハ)國民勤勞報國協力令ニ依リ出動シタル學徒ニシテ職種ノ變更ヲ受ケタルモノニ對スル青少年期限ハ之ヲ行ハザル・モノトス

工場ヨリ學徒ニ對スルモノ

證明書

氏名

年　月　日　當　才

右者國民勤勞報國協力令ニ依リ自昭和　年　月　日至昭和　年　月　日當工場ニ出動シ左記職種ニ從事セルコトヲ證明ス

職種名

昭和　年　月　日

在地

工場名

代表者　印

學部長
書記官

六八〇號

學徒動員者追加報告ノ件

本學部學徒動員者別紙ノ通追加及報告候也

年　月　日

部名

學生課長　殿

軍事教官

東京帝國大學農學部

學徒動員者追加報告　東京帝國大學農學部

出動者氏名	學科	學年	出動先	出動ノ場所
柏原　孝夫	獸醫學科	三年相當	陸軍獸醫學校	世田谷區下代田町
神澤　精一	同	同	同	同
黒川　和雄	同	同	同	同
兒玉　義雄	同	同	同	同
清水　武彦	同	同	同	同
高桑　武重	同	同	同	同
中島　雄次郎	同	同	同	同
長井　良策	同	同	同	同
長谷田　知巳	同	同	同	同
柳谷　岩雄	同	同	同	同

東京帝國大學

飯田　達郎	同	二年相當	同	同
今村　熙久	同	同	同	同
小野　貞直	同	同	同	同
木脇　祐順	同	同	同	同
國崎　[illegible]	同	同	同	同
下田　與四雄	同	同	同	同
三毛　敏夫	同	同	同	同
原　忠孝	同	同	同	同

備考

内　今村熙久
　　下田與四雄　両者ハ特ニ学術研究補助トシテ満洲國ニ出向方許可目下滞満中

東京帝國大學

B 列 4

東京帝國大學

昭和十九年七月二十一日

獣醫學科

事務室 御中

曩ニ報告致シ候學徒動員者氏名表ニ別紙ノ通リ

追加相成度及御願候也

B列5

学徒動員者追加氏名　一

出動者氏名	学科	学年	出動先	出動場所（何縣何郡何町）
柏原孝夫	獣医学科	三学年	陸軍獣医学校	東京都世田谷区代田町
神澤精一	同	同	同	同
黒川和雄	同	同	同	同
兒玉義雄	同	同	同	同
清水武彦	同	同	同	同
高桑武重	同	同	同	同
中島雄次郎	同	同	同	同
長井良策	同	同	同	同
長谷田知己	同	同	同	同
柳谷岩雄	同	同	同	同

東京帝國大學

學徒動員者追加氏名 二

出動者氏名	學科	學年	出動先	出動場所（何縣何郡何町）
飯田達郎	獣医學科	二學年	陸軍獣医學校	東京都世田谷区下代田町
今村照久	同	同	同	同
小野友直	同	同	同	同
木崎（脇）祐順	同	同	同	同
國崎格	同	同	同	同
下田與四雄	同	同	同	同
三宅敏夫	同	同	同	同
原忠孝	同	同	同	同

東京帝國大學

13.

學部長

書記官

農學部

大第四一七號

案

學徒報國隊員ノ居住關係調査ノ件

五月三十日東京帝大學第一六四號ヲ以テ御照會ニ係ル標記ノ件

別紙ノ通及報告候也

年　月　日

學部長

學生課長　宛

東京帝國大學農學部

追テ二年相當ハ三年相當兵モ身体虚弱者ヲ除キ
大部分ハ継続動員ニ依リ六月中ニ出動ノ予定

東京帝國大學農學部

B4ノ三

學徒居住調査表

東京帝國大學農學部
昭和十九年六月八日現在

居住区名	一年	二年	三年	計	備考
麹町	一	一（一）	二	四（一）	
神田		一	二	三	
日本橋					
京橋	二	一		三	
芝	四	一		五	
赤坂		三	一（一）	四（一）	
麻布	二	三（一）	二	七（一）	
四谷	一	一	三	五	
牛込	六	二	一	九	
小石川	四	六	一〇	二〇	

居住区（町村）名	一年	二年	三年	計	備考
目黒	四	二	三	九	
渋谷	六	七（一）	一一（一）	二四（二）	
淀橋	三	三	五	一一	
中野	四	六	八（二）	一八（二）	
杉並	一五（一）	一〇（一）	八（二）	三三（四）	
豊島	八	八（一）	一三（一）	二九（二）	
瀧野川	二	一	二	五	
板橋	五（一）	二	一	八（一）	
王子	一（一）	一（一）	一	三（二）	
荒川		一	二	三	

東京帝國大學農學部

東京帝國大學醫學部

本郷	四二（一）	二九（六）	二六（三）	九七（一〇）
下谷	三	三（一）	四	一〇（一）
淺草	一	一		二
本所		二	一	三
深川			一（一）	一（一）
品川	五	二	一	八
荏原	二		一	三
大森	七	四（二）	六（二）	一七（四）
蒲田		一	二	三
世田谷	一九	一二（三）	一五（三）	四六（六）
足立		一		二
向島			一	一
江戸川				
葛飾			三	三
城東		二		二
八王子市		一		一
立川市				
三鷹町		一	一	二
武藏野町		一（一）	二	三（一）
其他	二七	一六（三）	一八（三）	六一（六）
合計	一七四（四）	一三六（二二）	一五七（一九）	四六七（四五）

備考　括弧内ノ数ハ学徒動員ニヨリ出動中ノ者及病気休学中ノ者ニシテ内数ナリ

B4ノ三

東京帝國大學

四六七號

東京帝大學第一六[illegible]號

昭和十九年五月廿一日

學生課長　大室貞一郎

農学部長　三浦伊八郎殿

學校報國隊員居住關係調査ノ件

文部省體育局長ヨリ官體九五號ヲ以テ申越有之候條記ノ件貴部報國隊員ノ分別紙様式（二通）ニ依リ御調査ノ上至急當課迄御回報相煩度依命此段及依頼候也

尚学徒動員ニヨリ出動中ノ者・休學者等ハ括弧内數ニテ示サレ度申添候

東京帝國大學

官體九五號
昭和十九年五月卅一日

文部省體育局長　小笠原道生

東京帝國大學總長　殿

學校報國隊員居住關係調査ノ件

學校報國隊防空要員調査上ノ資料ト致度ニ付貴學（校）報國隊全員ニ關シ居住別員數ヲ別紙様式ニ依リ御調査ノ上至急御回報相煩度及御依頼

追而調査表二通御送附相煩度爲念

學徒居住調査表　〇〇學校

居住區名	一年	二年	三年	四年	計	備考
麹町	1	1	2		4	
神田	0	1	2		3	
日本橋	0	0	0		0	
京橋	2	1	2		3	
芝	[illegible]	1	0		5	
赤坂	0	3	1		4	
麻布	2	2	2		4	
四谷	1				5	
牛込	6	2	1		9	
小石川	4	6	10		20	
本郷	42	29	26		97	
下谷	3	3	4		10	

居住區（市町村）名	一年	二年	三年	四年	計	備考
目黒	4	2	3		9	
澁谷	6	7	10		24	
淀橋	3	3	5		11	
中野	4	6	8		18	
杉並	15	10	8		33	
豊島	8	8	13		29	
瀧野川	2	1	2		5	
板橋	5	2	1		8	
王子	1	1	1		3	
荒川	0	1	2		3	
足立	0	1	0		1	
向島	0	0	1		1	

	淺草	本所	深川	品川	荏原	大森	蒲田	世田谷	
1	1	0	0	5	2	7	0	19	
2	1	2	0	2	0	24 (2)	1	12 (2)	
3	0	1	1	1	1	15 (1)	2	15 (3)	
4									
5	2	3	1	8	3	17 (2)	3 (5)	45 (1)	
6									

	江戸川	葛飾	城東	八王子市	立川市	三鷹町	武藏野町	其ノ他	合計
1	0	0	0	0	0	0	0	27	144/114
2	0	0	2	[illegible]	0	1	1	15 (2)	138/112
3	0	3	0	0	0	1	2	18 (2)	157/6
4									
5	0	3	2	1	0	2	3	66 (31)	462/213
6									

備考

一、本調査ニハ夜間通學ノ學徒ハ計上セザルコト

二、大學、高等專門學校ニアリテハ學部又ハ分科毎ニ別紙トスルコト

三、寄宿舍ヲ有スル學校ニアリテハ其ノ寄宿舍數ヲ各學年別ニ朱書シ備考欄ニ所在地ヲ記載スルコト

學徒居住調査表

○○學校

居住區名	一年	二年	三年	四年	計	備考
麹町						
神田						
日本橋						
京橋						
芝						
赤坂						
麻布						
四谷						
牛込						
小石川						
本郷						
下谷						

居住區(市町)名	一年	二年	三年	四年	計	備考
目黒						
澁谷						
淀橋						
中野						
杉並						
豊島						
瀧野川						
板橋						
王子						
荒川						
足立						
向島						

淺草	本所	深川	品川	荏原	大森	蒲田	世田谷	

江戸川	葛飾	城東	八王子市	立川市	三鷹町	武藏野町	其ノ他	合計

備考

一、本調査ニハ夜間通學ノ學徒ハ計上セザルコト

二、大學、高等專門學校ニアリテハ學部又ハ分科毎ニ別紙トスルコト

三、寄宿舍ヲ有スル學校ニアリテハ其ノ寄宿生數ヲ各學年別ニ朱書シ備考欄ニ所在地ヲ記載スルコト

昭和十九年七月廿八日　　　　事務室

学徒勤労月報作製ノ上別紙ノ通申越有之

至急御取計ノ上七月分ハ八月五日迄ニ御提出相成度

農學科　　　　演習林

農藝化學科　　　農場

林學科　　　　水產實驗所

獸醫學科

水產學科

農業經濟學科

農業土木學科

御中

03

東京帝國大學

農學部 大發六八二九號

東京帝大學第二八六號

昭和十九年七月二十五日

學生課長 大室貞一郎

農學部長 三浦伊八郎 殿

學徒勤勞動員出動月報記載方ニ關スル件

標記ノ件ニ關シ文部省總務局動員課長ヨリ別紙寫ノ通リ申越候條要旨

右ニテ御了知ノ上可然御配意相成度及御依頼候也

東京帝國大學

昭和十九年七月二十日

文部省總務局調査課長

各都道府縣内政部長
各大學高等専門學校長
各道廳長　直轄諸學校長

殿

學徒勤勞動員狀況月報記載方ニ關スル件

學徒勤勞動員狀況月報ニ關シテハ平素多大ノ御配意相煩居候處四月分以來御提出ノ月報ヲ調査スルニ不備ナル箇處不尠、爲ニ重ネテ照會スル等事務ノ處理上支障有之ニ付來ル七月分以降ニ付テハ特ニ左記ノ點御留意ノ上遺憾無キヲ期セラレ度候

記

一、月報各表中「出動先工場事業場等ノ種類別數並ニ學徒實人員數」欄又ハ「出動先ノ事業種類別數並ニ學徒實人員數」欄ニ付テハ六月四日附動總一九號次官通牒ヲ以テ「學徒實人員」ヲモ記載スルコトト相成リ居ルニ、單ニ出動學徒實人員數又ハ出動先數ノミヲ報告セラルル向不尠ヲ以テ嚴

一表㋑二ケ所、五〇人、㋺三ケ所、九〇人ノ如ク㋑㋺㋩―――別ニ「出動先業態ニ學徒數」ヲ各欄毎ニ横ニ二分シテ記載スルコト

二、第二表（食糧增産關係）ノ出動先數ハ地元都道府縣ノ内外ニ不拘出動先各市町村ヲ一單位トシテ計上スルコト

三、第一表及ビ第三表ノ「出動期間別」ハ六月二十八日附動總三九號次官通牒ニ依リ「國民勤勞報國協力令ニ依ラザル學徒勤勞動員狀況月報ニ付テノモ出動期間ヲ夫々若干短縮シタル次第ニシテ同協力令ニ依ル分ニ付テハ何等變更無キニ付留意ノコト

四、月報ハ右協力令ニ依ル學徒勤勞動員狀況月報ト同令ニ依ラザル分ノ月報ノ何レモ當該月ニ於ケル出動學徒數ノ全員ヲ報告セラレ度從テ當該月ニ於ケル新規出動學徒數ノミノ報告ニ留メラザルコト

五、月報ノ提出期限ハ毎翌月十日限リニ付嚴守セラレ度爲念

駐蒙滿軍依託學生ノ出動ニ就テハ「協力令ニ依ラザル動員狀況月案報」ニ取扱レ度旨本省ヨリ連絡アリ

學徒動員月報記載方ニ付別紙ノ通御送付有之候ニ付御精讀ノ上七月分ヨリ右要項ニ依リ御報告煩度候

七月二十六日

事務室

各學科御中

農學部 大第六二九号

東京帝大學第二八六號

昭和十九年七月二十五日

學生課長　大室貞一郎 印

農學部長　三浦伊八郎殿

學徒勤勞動員状況月報記載方ニ關スル件

標記ノ件ニ關シ文部省總務局調査課長ヨリ別紙寫ノ通リ申越候條委曲右ニテ御了知ノ上可然御配慮相煩度及御依頼候也

昭和十九年七月二十日

文部省總務局調査課長

各都道府縣内政部長
各大學高等専門學校長
各教員養成諸學校長　殿

學徒勤勞動員状況月報記載法ニ關スル件

學徒勤勞動員状況月報ニ關シテハ平素多大ノ御配慮相煩居候處昨月分以降御

提出ノ月報ヲ調査スルニ不備ナル箇所アリ各地方ノ為ニ重ネテ照會スル等事務ノ處理上有之ニ付来ル七月分以降ニ付テハ特ニ左記ノ點御留意ノ上遺憾無キヲ期セラレ度候

記

一、月報各表中「出動先工場事業場別人員数並ニ學徒實人員數」欄又ハ「出動先ノ事業種類別数並ニ學徒實人員ノ一覧」ノ欄ニ付テハ六月四日附動總一九號次官通牒ヲ以テ「學徒實人員」ヲモ記載スルコトト相成居ルニ出動學徒實人員数又ハ出動先數ノミヲ報告セラルル向不尠ヲ以テ第一表(イ)ニケ所、五〇人(ロ)三ケ所、九〇人ノ如ク(イ)(ロ)(ハ)ーーー別ニ「出動先数並ニ學徒数」ヲ各欄毎ニ横ニ二分シテ記載スルコト

二、第二表(食糧増産関係)ノ出動先数ハ地元都道府縣内外ニ不拘出動先各市町村ヲ一單位トシテ計上スルコト

三、第一表及ビ第三表ノ「出動期間別」ハ六月二十八日附動總三九號次官通牒ニ依リ「國民勤勞報國協力令ニ依ラザル學徒勤勞動員状況月報ニ付テノミ出動期間ヲ夫々若干短縮シタル次第ニシテ同協力令ニ依ル分ニ付テハ何等變更無キニ付留意ノコト

四、月報ハ右協力令ニ依ル學徒勤勞動員状況月報ト同令ニ依ラザル分ノ月報ノ何レモ當該月ニ於ケル出動學徒ノ全員(延数)ヲ報告セラレ度從テ當該月ニ於ケル新規出動學徒數ノミノ報告ニ留マラザルコト

五、月報ノ提出期限ハ毎翌月十日限リニ付嚴守セラレ度為念、　注陸海軍依託學生ノ出動ニ就テハ「協力令ニ依ラザル動員状況月報」ニ取扱レ度旨本省ヨリ　連絡アリ

東京帝國大學

農學部第三學年學徒出動配屬割当

七月十七日午后文部省學徒動員本部ヨリ電話連絡

一、出動日　自七月二十日（木）

一、出動學科及出動先

農學科　二名　農商省農事試驗場

詳細ハ佐々木教授御了承ノ由

農業経済學科　三名　都下標準農村　二名

一名（農大ヨリ一名加入）二班ニ分

詳細ニ付テハ農商省農政局総務室加藤氏来校説明ノ予定

獸医學科　四名　農商省埼玉縣大宮種畜場　三名

〃兵庫縣〃　〃一名

詳細ニ付テハ農商省農政局畜産課小野氏ニ連絡ノコト

（註）書類ハ十七日午后文部省ヨリ付取敢ス電話連絡スルトノ由ニテ右通報アリ

昭和十九年八月十二日

勤労学徒ノ休養睡眠並ニ宿泊清掃ニ関スル件

事務室

農學科長
農藝化學科長
林學科長
獸醫學科
水產學科
農業經濟學科
農業土木學科

演習林
農場
水產實驗所
御中

昭和拾九年八月廿四日

昭和拾九年八月廿四日

東京帝國大學

六七二

東京帝大學第三一四號

昭和十九年八月十二日

學生課長 大室貞一郎

農學部長 三浦伊八郎 殿

勤務學徒ノ休養睡眠並ニ宿泊施設ニ關スル件

標記ノ件ニ關シ文部省學徒動員本部第三部長ヨリ別紙寫ノ通申越候條委曲右ニテ御了知ノ上可然御配慮相煩度此段依命及御通知候也

勤體一五號

昭和十九年七月十九日

文部省體育局長　印

學徒動員本部第三部長　印

東京帝國大學總長　殿

勤勞學徒ノ休養睡眠並ニ宿舍衛生ニ關スル件

勤勞出動學徒ノ健康保持ハ極メテ肝要ナル問題ニ有之既ニ種々御配意ノ事ト存ズルモ勤勞學徒ヲシテ適當ナル休養睡眠ヲ採ラシムルハ其ノ保健上最モ基本的重要事項ト存ゼラルルニ付之ニ關シ一段ノ御配意相煩度　尚出動先宿舍ニ於テ蚤虱ノ發生甚ダシク學徒ノ休養睡眠ヲ妨グル事例尠カラザルヤニ聞キ及候處右ノ場合ニアリテハ受入側ト協議連絡ノ上速本左記方法等ニ依リ更ニ適宜工夫ヲ加ヘ其ノ措置ヲ徹底セシメ之ガ驅除ニ力メシムルヤウ御指導相成

度

記

一、勤務ニ差支ヘザル時期ニ於テ學徒自身ノ手ニヨリ之ヲ行フコト

一、蚤ノ驅除ハ一回ノ清掃ニヨリテハ目的ヲ達シ難キモ繰返シ之ヲ實施スルコトニヨリ完全ニ驅除シ得タル事例少カラザルニヨリ必要ニ應ジ繰返シ徹底的ニ之ヲ行フコト

一、疊、寢具等ノ乾燥ヲ徹底的ニ勵行スルコト

66

満洲土地開發株式會社

農開一二總人第二五號ノ一四四

康德十一年八月十六日

滿洲農地開發公社

人事課長

東京帝大

工學部長　殿

勤勞動員學徒疾病ニ關スル報告ノ件

拜啓　時下益々御清穆之段奉賀候

陳者貴部二年生茶谷一男第二松花江開發本部ニ於テ勤勞作業ニ從事中八月六日夜八度五分程發熱シ容態變調ナル爲八日新京順天病院ニ入院セシメタル處十日「パラチブスA」ト診斷有之候間直チニ傳染病院ニ入院セシメ再檢査ノ結果モ同病名ニ相違無之旨判明シ目下入院加療中ナルモ發熱モ左程ノ事ナク午前ハ七度台ニシテ午后八度五分程ニシテ本人ハ至極元氣ニ付懸念ノ要ナキモノト思料致居候醫師ノ診斷ニ依レハ經過良好ニシテ三、四週間入院ノ見込ニ御座候本件ニ關シテハ弊社東京事務所長ヨ

新京病剤井大同大街一九

リ既ニ御連絡申上タル筈ニ御座候得共改メテ御通知申上候尚ホ御兩親ニハ本人ヨリ直接連絡致ス迄貴部ヨリノ御通知ハ留保被下度右本人ノ希望ニ付申添候何レ其ノ後ノ經過ニ關シテハ何分ノ御連絡可致候

先ツハ御通知迄如斯御座候

敬具

東京帝國大學

一九四[illegible]月二九八三[illegible]

十九年八月[illegible]

農[illegible]局 農林局長

収[illegible]記

農業関係学徒勤労ニ関スル件

農学、畜産、獣医、

指導監督費 三百円也

右正ニ 農学部[illegible]

領収

乞一閲

農、獣、経

學科主任

學科主任

學科主任代

勤総五二号

昭和十九年八月二十二日

文部省総務局長

農商省総務局長

各地方長官
各行政協議会長
各学校長　殿

農林水産業ニ対スル学徒勤労動員受入側及学校側措置ニ関スル件

農林水産業ニ対スル学徒勤労動員実施要領ニ関シテハ去ル七月十二日附ヲ以テ指示相成タル処今般学校側並ニ受入側措置ニ関シ別紙ノ通リ決定相成タルニ付之ガ実施上遺憾ナキヲ期セラレ度此段及通牒ス

農林水産業ニ対スル学徒勤労動員受入側及学校側措置要綱

第一　方針

大東亜戦争決戦ノ現段階ニ鑑ミ決戦非常措置ニ基ク学徒勤労動員実施要綱ニ依リ学徒ヲシテ尽忠ノ誠ト勤労即教育ノ本義ニ徹スル学徒勤労動員ノ積極的ニシテ且有効適切ナル運営ヲ図ルベキ受入側及学校側態勢ヲ確立セシムルモノトス、

第二　要項

一、協力申請（請求）

(一)学校報国隊ノ出動申請（請求）ハ学徒勤労令第六条ノ規定ニ依ル申請（請求）ヲ備

東京音楽大学

書ニ依ルヲ原則トスルモ出動期間ハ二十日以内ノモノニ關シテハ同令第十六条ニ依リ学校長ニ對シ学校報國隊ノ出動ヲ求ムルコトヲ得ルコト此ノ場合ニ在リテハ学校ハ速ニ学徒ヲ動員シ所要ノ勤労作業ニ従事セシムルト共ニ所定ノ報告書ヲ地方長官(大学高等専門学校及教員養成諸学校ニ在リテハ文部大臣)ニ提出スルコト

(二)大学高等専門学校及教員養成諸学校ハ学徒ノ協力ヲ得ントスル場合ハ受入側ハ豫メ受入計畫及受入實績ノ概要ヲ農商省ニ提出スルコト

(三)宿泊ヲ要スル場合ハ申請(請求)書ニ合宿又ハ分宿ノ別ヲ明記シ且宿泊施設ニ付豫メ周到ナル準備ヲ為シ置クコト

(四)学校報國隊ノ割當配置ニ関シテハ学校側ノ希望ヲ参酌シテ且是ヲ為スコト

二、出動及受入準備

(一)学校報國隊ノ動員決定シタルトキハ学校側及受入側共ニ教職員又ハ係員中ヨリ主任連絡者ヲ指定シ置キ相互ニ緊密ニ事前連絡ヲ行フコト

(二)事前連絡ヲ要スル事項左ノ如シ

一、作業内容、一、勤労時間、食事給與其他勤労条件、

一、宿舎ノ状況、保健施設、一、其他必要ナル事項、

(三)受入側ハ事前ニ係員ヲ学校ニ派遣シ教職員ト協力シテ出動スベキ学徒ニ對シ所要ノ豫備知識ヲ与ヘ且出動ニ関スル所要ノ注意ヲ与フルコト尚學校側ハ可及的教職員ヲ作業地ニ派遣シ宿舎、作業場等ニ付実施視察ヲ行ハシメルコト

(四)学校ハ学徒ニ對シ原則トシテ出動前豫メ身體検査ヲ実施シ出動及作業ノ適否等ヲ決定スルコト

(五)受入側ハ受入専任擔當者ニ作業指導者等ノ係員ヲ選任スルコト学校長ハ出動ニ際シ派遣責任教職員並ニ補助教職員ヲ選定シ出動スベキ学徒ニ對シ所要ノ指示ヲ行フコト

(六)隊員ノ出動中学校報国隊員タルノ標識ヲ附セシメ且苟モ品儀ニ悖ルコトナキ様留意セシムルコト

(七)受入側ハ一般作業者等ニ對シ豫メ学徒勤労ノ趣旨ヲ周知徹底セシメ其ノ取扱處遇ニ遺憾無キヲ期スルト共ニ苟モ学徒ノ勤労ニ挺身セントスル至誠ノ情ヲ冷却セシメ又ハ学徒ノ教育訓練ニ悪影

東京帝國大學

趣旨ヲ及ボスガ如キコト絶對ナカラシムルコト

三、隊員ノ身分取扱

(一)將来ノ就職ト睨ミ合セ分散シテ配置セラレタル者ハ職員ニ準ジ處理スルコト

(二)学校教職員ハ幹部職員ニ準ズル等相當ノ處遇ヲ為スコト

四、教育訓練

(一)派遣教職員ハ受入側責任者ノ協力ヲ受ケ学徒ノ教育訓練ニ遺憾無カラシムルト共ニ学徒ヲシテ常ニ生産ノ國家的意義ヲ自覚シ一般従業者ト協力一致勤労ニ挺身セシメ献身奉公盡忠報國ノ至誠ヲ傾倒セシムル様指導ノ徹底ヲ期スルコト

受入側ハ常ニ学徒ノ勤労動員ハ勤労即チ教育タルノ本義ヲ理解シ派遣ノ責任教職員ト協力シ学徒ノ教育訓練ニ遺憾ナカラシムルコト

(二)通年動員ノ場合ニ於テハ受入側ハ勤務時間中軍事教育教授訓育等ノ為ニ週六時間ヲ原則トスル時間ヲ設ルコト　尚作業休憩時間休日等アラユル時間ヲ活用スルモノトシ受入側ハ之ニ協力スルコト

作業ノ状況ニ應ジ前項ノ時間ハ適宜集約又ハ分散的ニ実施シ得ルヤウ措置シ得ルコト

五、勤労協力ニ関スル指導監督

(一)学徒ノ出欠勤怠士氣ノ昂揚其ノ他勤労協力ニ関スル精神指導並ニ身分上ノ監督ハ原則トシテ派遣責任教職員之ヲ行フモノトシ受入側ハ之ト緊密ニ連繋スルコト

(二)学徒ノ作業上ノ指導並ニ就業時間、休憩休日危害防止等ニ関スル勤労管理上ノ指導監督ハ豫メ其ノ方針及概要ニ付派遣責任教職員ト協議ノ上受入側作業指導者之ヲ行フコト

(三)勤労開始ニ當リテハ作業ノ種類ニ應ジ出来得ル限リ準備訓練ヲ施シ作業並ニ勤労生活ニ慣レシムル様指導ヲ行フコト

東京音楽大学

2

六、作業

(一)作業ハ食糧其ノ他重要農林水産物ノ生産増強ニ関スルモノヲ主トシ学徒ノ技能ヲ充分活用スル様配置ノ適正ヲ期スルコト

(二)学徒ノ體力、健康状態、熟練度等ヲ考慮シ、状況ニ依リ作業ノ種類及場所ヲ適宜変更シテ作業能率ノ向上ヲ図ルコト

(三)一日ノ作業時間ハ一般従業者ト同等ニ取扱フヲ原則トスルモ十時間(休憩等ノ時間ヲ含ム)以内ヲ原則トス、

七、事故ノ防止、疾病ノ予防並ニ事故疾病ノ措置

(一)受入側ハ派遣責任教職員ト協力シ常ニ学徒ノ疲労其ノ他心身状況ニ留意シ身體検査等ヲ施シ疾病ノ予防[illegible]事故ノ防止ニ力ムルコト

(二)隊員ノ死亡其他重大ナル事故ハ直ニ学校監督官庁及父兄ニ成ルベク詳細ニ報告スルコト

(三)隊員出動中死亡セル場合ノ弔慰金ハ別紙表(一)ノ標準ニ依ルコト

八、宿泊其ノ他ノ設備

(一)隊員ノ宿泊施設ハ受入側ニ於テ之ヲ為スコト

(二)宿泊時ニ於ケル学徒ノ生活訓練ハ原則トシテ派遣責任教職員之ヲ擔当シ受入側ハ之ニ協力スルコト

(三)分宿スル場合[illegible]ノ農家等ノ選定ニ当リテハ保健衛生、風紀等ニ付十分注意シ派遣責任教職員ハ可及的見廻リ監督ヲ励行シテ学徒ノ生活訓練ニ遺憾ナキヲ期スルコト

(四)女子隊員ノ場合ハ必ズ女子専用宿舎ニ収容シ且女子ニ必要ナル施設ヲ整備スルコト

(五)宿泊長期ニ亘ル場合ハ教育訓練、修養娯楽、休養ノ設備ヲモ備フル様考慮スルコト

九、食事其ノ他ノ給与

東京帝國大學

(一)勤員学徒ノ食糧ニ関シテハ昭和十九年六月二十日付一九食糧第二〇二二号食糧管理局長官通牒ニ基キ適宜應急的ニ特配ノ措置ヲ講ゼラルベキモ宿泊スル場合ハ主食ノ基準量ヲ(又ハ配給停止證明書ヲ)携行セシムルヲ原則トシ日帰リ通勤ノ場合ハ原則トシテ弁当ヲ持参セシムルコト

(二)農具其ノ他作業ニ必要ナル物品ハ受入側ニ於テモ準備スルヲ原則トスルモ学徒又ハ学校報國隊ニ於テモ可及的之ヲ準備スルコト　装備ハ原則トシテ可及的一般従業者ト全様支給又ハ貸与スルモ動員短期ノ場合ハ学徒又ハ学校側ニ於テ準備スルコト

十　報償経理

(一)報償ハ作業ノ種類、給与ノ状況等ニ應ジ地方ノ実情ニ即シ適宜之ヲ行フコトトスルモ大学高等専門学校及教員養成諸学校ニ付テハ概ネ別表(二)ヲ標準トスルコト

(二)受入側ハ各学校別ニ報償ヲ取纒メ明細書ヲ附シテ一括各學校報國隊長ニ納付スルコト

(三)学校ハ勤労期間中ニ於ケル学徒ノ授業料其ノ他教育上学徒ヨリ徴収スル経費ハ報償金中ヨリ徴収シ得ル範圍ニ於テ之ヲ徴収シ得ルコト　但シ勤労期間一ケ月ニ満タザル場合此ノ限ニ在ラザルコト

(四)前号ノ経費ヲ控除シ残餘アル場合ハ学校報國隊長ハ動員学徒ニ之ヲ交付スルコト　但シ交付金月額大学高等専門学校及教員養成諸学校三十圓ヲ超ユル場合ニ於テハ其ノ超過額ハ差当学校報國團ニ於テ之ヲ保管シ其ノ處置ニ付テハ別途文部省ノ指示スルトコロニ依ルコト

(五)報償ハ学校報国團ノ特別會計トシテ之ヲ經理シ其ノ經理ノ為専任擔當者ヲ選任シ其ノ出納明細書ヲ作成セシメ之ガ経理ヲ適正ナラシムルコト

(六)学校ハ毎年一月及六月文部省又ハ地方廳ニ報償經理ニ関シ農商省及地方廳ノ收支明細書ヲ報告スルコト

(七)文部省及地方廳ハ所管各學校ノ報償經理ニ関シ農商省及地方廳ハ受入側ノ報償經理ニ関シ隨時実地監査ヲ行フモノナルコト

東京帝國大學

十一、其ノ他

(一)学徒動員ニ要スル旅費、宿舎費、医療費等ハ原則トシテ実費ヲ受入側ニ於テ負擔スルコト

(二)派遣責任教職員ノ交通費、報償其他必要ナル経費ハ別途指示ニ従ヒ受入側ニ於テ支辨スルコト

別表(一)

弔慰金標準

(一)業務外死亡ノ場合　三〇〇圓

(二)業務上死亡ノ場合　五〇〇圓

別表(二)

報償算定標準（一人當日額）

東京帝國大學

種別		通年動員 男	通年動員 女	農繁期作業其ノ他 男	農繁期作業其ノ他 女
大學	宿泊ニシテ食費受入側負擔ノ場合	一、〇〇銭	｜	五〇銭	｜
	通勤ニシテ晝食携行ノ場合	一、一〇銭	｜	六〇銭	｜
専門学校、高等学校、高等師範学校、大学予科、師範学校（本科）	宿泊ニシテ食費受入側負擔場合	八〇銭	四〇銭	四〇銭	三〇銭
	通勤ニシテ晝食携行ノ場合	九〇銭	五〇銭	五〇銭	四〇銭

許

一、本報償ニ旅費、宿舎費、医療費ハ含マザルコト

二、本報償ハ受入側ノ事情ニ依リ現物ヲ以テ代フルコトヲ得ルコト

三、農業土木、獣医又ハ林學専攻ノ学徒ニシテ其ノ技術ニ付特殊ノ官廳、営團會社等ニ長期動員スル場合ノ報償ニ付テハ必要ニ應ジ別途之ヲ決定スルコトヲ得ルコト

東京帝國大學

昭和十九年八月二十三日

文部省総務局総務課長

[illegible][illegible]五二六号

大学高等専門学校長殿

農林水産業ニ対スル学徒勤労動員受入側
及学校側措置要綱ニ関スル件

右要綱中第二ノ三ノ(一)ニ付テハ質疑ノ向モ有之ル処、農林水産業ニ対スル動員ハ配置ヲ原則トスルモ、配置ノ結果事実上分散勤務スル場合ヲ謂フモノナルニ付為念申添フ

十九八八八月九日記

東大　御中

　　　　　　日協舘上村精神病院　賢乳　梅野　守

農業土木学科

九月二十六日　新幹線（東）

新東京—下関　帰宅之際

下関駅　東京駅之　葉緑素之研究

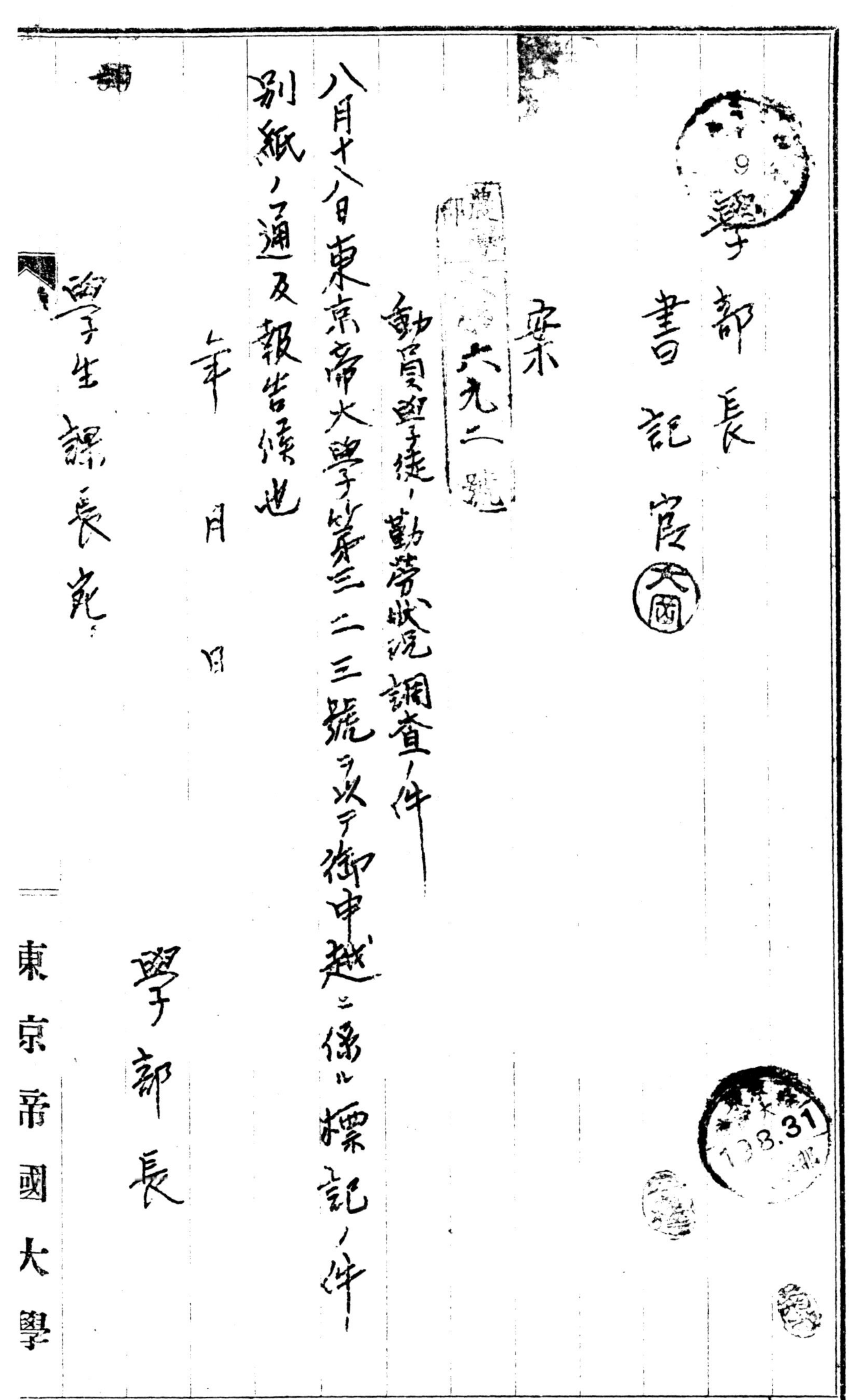

學部長
書記官
案
動員學徒ノ勤勞状況調査ノ件
六九二號
八月十八日東京帝大學第三二三號ヲ以テ御申越ニ係ル標記ノ件
別紙ノ通及報告候也
年　月　日
學部長
學生課長宛

東京帝國大學

動員學徒ノ勤勞狀況調査

東京帝國大學農學部

調査事項	回答
一、受入側學徒ニ對スル取扱及作業配置ノ適否	取扱 配置共ニ適正
一、學徒ノ健康狀態	健康
一、弱體者ノ取扱	｜、
一、學徒ノ出動狀況	指令ノ通リ円滑ニ出動
一、給食ノ狀況	宿舎ニ於ケル給食ハ概ネ可
一、合宿ニ於ケル宿舎ノ良否	農村ニ於ケル施設トシテハ普通
一、通勤ニ於ケル交通機關ノ便否	概ネ農村勤勞地ニ宿泊セルヲ以テ不便ヲ感ゼズ、
一、其ノ他	

（農學部提出）

動員學徒ノ勤勞狀況調査

東京帝國大學農學部

調査事項	回答
一、受入側ノ生徒ニ對スル取扱ハ保護的ナリヤ否ヤ	良
一、學徒ノ健康狀態	良
一、病弱者ノ取扱	良
一、生徒ノ出勤狀況	良
一、給食ノ狀況	給食セザル所アリ、
一、合宿ニ於ケル宿舎ノ良否	全部通勤ス
一、通勤ニ於ケル交通機關ノ便否	便否相半バス
一、其ノ他	

（農藝化學科 提出）

動員學徒ノ勤勞狀況調査

東京帝國大學農學部

調査事項	回答
一、受入側學徒ニ對スル取扱及保護ノ適否	良
一、學徒ノ健康狀態	數名發病缺勤、其他ハ良好
一、弱體者ノ取扱	弱体者ハ出動セシメズ
一、學徒ノ出動狀況	概ネ良好
一、給食ノ狀況	良好
一、合宿ニ於ケル宿舍ノ良否	概ネ良好
一、通勤ニ於ケル交通機關ノ便否	帝室林野局ニ出動ノ者ハ稍不便ナリ
一、其ノ他	

（林學科提出）

動員學徒ノ勤勞状況調査

東京帝國大學醫學部

調査事項	回答
一、受入側學徒ニ對スル取扱及作業配置ノ良否	取扱ハ從員ノ待遇ニシテ學生ノ事情ヲ考慮シ甚ダ良好ナリ。作業配置ハ適當ニシテ各研究室ニ實驗補助トシテ配當セシメ主トシテ作業ノ助手トシテ從事ス
一、學徒ノ健康状態	一名ノ長期缺席者ノ外ハ良好ナリ
一、弱體者ノ取扱	一名ノ弱體者アリ比較的輕度ナル作業ニ從事ス
一、學徒ノ出勤状況	最初不適當者ニテ重勞働ヲ課セシメ若干ノ欠席者アリタルモ其ノ後改善セラレ出勤状況良好ナリ
一、給食ノ状況	給食ナキモ加配「丙」アリ
一、合宿ニ於ケル宿舎ノ良否	合宿ナシ
一、通勤ニ於ケル交通機關ノ便否	本郷區内ニ下宿スル者ハ開始時間午前七時三十分ナルヲ以テ稍不便ヲ感ジツツアリ
一、其ノ他	ナシ

一（職醫 學科 提出）

動員學徒ノ勤勞狀況調査

東京帝國大學農學部

調査事項	回答
一、受入側ノ學徒ニ對スル取扱及作業配置ノ適否	一般ニ良
一、學徒ノ健康狀態	時ニ風邪等ニ罹ル者アルモ一般ニ健康ナリ。
一、弱體者ノ取扱	一般ニ健康狀態宜シキ故ニ弱體ト認ムベキモノナキモ風邪等ノ歸省者ハ休養セシメ居レリ。
一、學徒ノ出動狀況	風邪等ニテ休養セシメ居ル者ノ外ハ時以外ニ出動セザルコトナシ
一、給食ノ狀況	一般ニ良好ナリト認ム
一、合宿ニ於ケル宿舍ノ良否	良好ニ
一、通勤ニ於ケル交通機關ノ便否	甚ダシキ遠距離ハ合宿スルニ就キタル故交通機關ヲ要セズ
一、其ノ他	特ニ記スベキコトナシ

（水產學科提出）

動員學徒ノ勤勞状況調査

東京帝國大學農學部

調査事項	回答
一、受入側ノ學徒ニ對スル取扱及作業配置ノ良否	良
一、學徒ノ健康状態	異常ナシ
一、弱體者ノ取扱	出勤セシメズ、特別ニ指導ス、
一、學徒ノ出動状況	割當人員全部出動セリ
一、給食ノ状況	良
一、合宿ニ於ケル宿舎ノ良否	良
一、通勤ニ於ケル交通機關ノ便否	出動先ニ泊込
一、其ノ他	ナシ

（農業經濟學科　提出）

動員學徒ノ勤勞状況調査

東京帝國大學農學部

調査事項	回答
一、受入側ノ學徒ニ對スル取扱及作業ノ配置ノ適否	良
一、學徒ノ健康状態	農業關係方面ハ良、滿洲國ヘ出動者ハ不良
一、弱體者ノ取扱	〃
一、學徒ノ出動状況	良
一、給食ノ状況	各農場ハ良、滿洲國不良
一、合宿ニ於ケル宿舎ノ良否	良
一、通勤ニ於ケル交通機關ノ便否	
一、其ノ他	

（農業土木學科　提出）

六九二

東京帝大學第三二三號

昭和十九年八月十八日

學生課長　大森眞一郎

[印]

農學部長　三浦伊八郎殿

動員學徒ノ勤勞状況調査ノ件

標記ノ件ニ關シ文部省學徒動員本部第三部長ヨリ別紙寫ノ通リ照會有之候條委曲右ニテ御了知ノ上別紙事項ニ付當課迄御回報相成度此段依命及依頼候也

動體三二號

昭和十九年八月十四日

學徒動員本部第三部長

直轄學校
公私立大學高等學校長殿

動員學徒ノ勤勞狀況調査ノ件

學徒ノ勤勞動員ニ付テハ漸次ノ通牒ニ基キ夫夫御配意相成リ多大ノ成果ヲ擧ゲ居ルコトハ同慶ノコトト存ゼラルルモ實際ノ運營ニ當リテハ種種御所感等モ有之ト存ゼラルルヲ以テ左記事項等ニ付貴見承知致度段內翰得貴意候

記

一、受入側ノ學徒ニ對スル取扱及作業配置ノ良否

一、學徒ノ健康狀態

一、弱體者ノ取扱

一、學徒ノ出動狀況

一、給食ノ狀況

一、合宿ニ於ケル宿舎ノ良否

一、通勤ニ於ケル交通機關ノ便否

一、其　　他

東京一二五九

昭和十九年八月廿日

農学科

農学部事務室 御中

勤労学徒ノ勤労状況報告

御照会ノ標記ノ件左記ノ通リ及御報告候也

一、受入側ノ学徒ニ対スル取扱及作業配置ノ良否

取扱配置共ニ概ネ適正

一、学徒ノ健康状態

健康

一、学徒ノ出勤状況

指令ノ通リ円滑ニ出勤

東京帝國大學

一、給食ノ状況

宿舎ニ於ケル給食ハ概ネ可

一、合宿ニ於ケル宿舎ノ良否

農林ニ於ケル施設トシテハ普通

一、通勤ニ於ケル交通機関ノ便否

概ネ勤労地ニ宿泊セルヲ以テ不便ヲ感ジ居ラズ

東京帝國大學

B列4

東東1529

昭和十九年八月二十五日

東京帝國大學農學部
農藝化學科

農學部事務室御中

動員學徒ノ勤勞状況調査ノ件

首題ノ件ニ干シ調査スル処本學學生ニ於ケル勤勞状況左記ノ通リニ有之可然取計相成度此段及報告候

一、受入側ノ學徒ニ對スル取扱及作業成績ノ良否　良

一、學徒ノ健康状態　良

B列5

一、同伴者ノ取扱　良

一、学徒ノ出勤状況　良

一、給食ノ状況　給食セザル所アリ

一、合宿ニ於ケル宿舎ノ良否　全部通勤ス

一、通勤ニ於ケル交通機関ノ便否　便否相半バス

一、其他

B
別
5

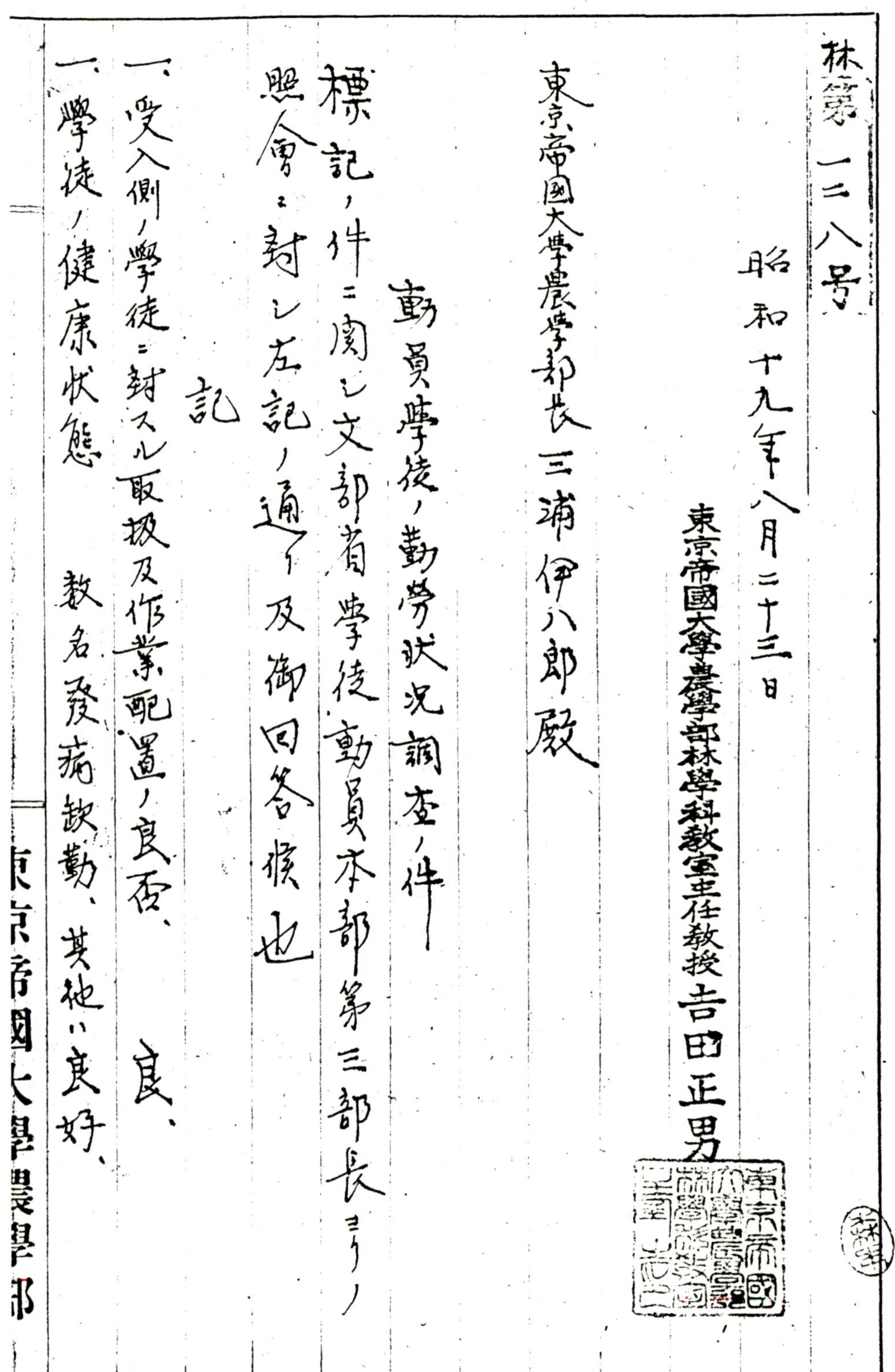

林第一二八号

昭和十九年八月二十三日

東京帝國大學農學部林學科教室主任教授 吉田正男

東京帝國大學農學部長 三浦伊八郎殿

動員學徒ノ勤勞状況調査ノ件

標記ノ件ニ關シ文部省學徒動員本部第三部長ヨリノ照會ニ對シ左記ノ通リ及御回答候也

記

一、受入側ノ學徒ニ對スル取扱及作業配置ノ良否、 良、

一、學徒ノ健康状態 数名發病缺勤、其他ハ良好、

東京帝國大學農學部

一、弱体者ノ取扱

弱体者ハ出勤セシメズ、

一、學徒ノ出動状況

概ネ良好

一、給食ノ状況

良好

一、合宿ニ於ケル宿舎ノ良否

概ネ良好

一、通勤ニ於ケル交通機関ノ便否

帝室林野局出勤ノモノハ稍々不便ナリ

東京帝國大學農學部

B4ノ二

東京帝國大學

昭和十九年八月二十九日

獣醫學科

事務室御中

勤員學徒ノ勤勞狀況別紙ノ通リニ付及囘答候也

B列5

勤員學徒ノ勤勞狀況調査

一、受入側ノ學徒ニ對スル取扱及作業配置ノ良否
取扱ハ雇員待遇ニシテ克ク學生ノ事情ヲ考慮シ甚良好ナリ
作業配置亦適當ニシテ各研究室並ニ實驗場ニ分屬セラレ主トシテ
作業ノ助手トシテ從事ス

一、學徒ノ健康狀態
一名ノ長期缺席アル外良好ナリ

一、弱體者ノ取扱
一名ノ弱體者ハ比較的輕度ナル作業ニ從事ス

一、學徒ノ出勤狀況
最初不適者ニマデ重勞働ヲ課セシメ若干ノ欠席者アリタルモ其後
改善セラレ出勤狀況良好ナリ

東京帝國大學

一、給食状況

給食ナキモ加配(丙)アリ

一、合宿ニ於ケル宿舎ノ良否

合宿ナシ

一、通勤ニ於ケル交通機關ノ便否

本郷區内ニ下宿スル者ハ開始時間午前七時三十分ナルヲ以テ稍不

便ヲ感ジツヽアリ

一、其ノ他

ナシ

東京帝國大學

B列4

昭和拾九年八月廿九日

東京帝國大學農學部
水産學科

農學部事務室 御中

動員學徒ノ勤勞狀況調査ノ件（回答）

標記ノ件ニ關シ御照會有之候處左記及御回答候也

記

一、受入側ノ學徒ニ對スル取扱及作業配置ノ良否、

一般ニ良

一、學徒ノ健康狀態

東京帝國大學

時ニ風邪等ニカヽル者ナキニ非ザルモ一般ニ健康ナリ

一、弱体者ノ取扱

一般ニ健康状態宜シキガ故ニ弱体者ト称スベキモノナキモ、風邪等ノ場合休養セシメ居タリ。

一、學徒ノ出動状況

前記風邪等ニテ休養セシメ居ル者アル時以外ニ出動セザルモノナシ

一、給食ノ状況

一般ニ良好ナリト認ム

一、合宿ニ於ケル宿舎ノ良否

何等難ズベキモノナシ従ヒテ良好ナリト認ム

一、通勤ニ於ケル交通機関ノ便否

甚ダシキ遠距離ニ合宿スルニ非ザルガ故ニ交通機関ヲ要セズ

一、其他

特ニ記スベキヿナシ

B列4

昭和十九年八月二十五日

農業經濟學科主任

東畑精一

代　磯邊秀俊

農學部事務室

御中

一、勤員學徒ノ勤勞狀況調査ノ件

標記ノ件ニ關シ當學科ニ於テハ左記ノ通リ

意見記入致候間此段及御報告申上候也

記

東京帝國大學農學部

東京帝國大學農學部

一、受入側ノ学徒ニ対スル取扱及作業配置ノ良否　良

一、学徒ノ健康状態　異常ナシ

一、弱体者ノ取扱　（出勤セズ特別ニ指導セズ）

一、学徒ノ出勤状況　割当人員全部出勤セリ。

一、給食ノ状況　良

一、合宿ニ於ケル宿舎ノ良否　良

一、通勤ニ於ケル交通機関ノ便否　出勤先ニ泊込。

一、其ノ他　ナシ

以上。

B4ノ三

昭和十九年八月廿五日

農業工学教室

事務室　御中

勤員学徒ノ勤労状況調査ノ件

標記ノ件ニツキ左記ノ通リ御回答申上ケ

記

一、受入側ノ学徒ニ対スル取扱及作業配置ノ良否

一、学徒ノ健康状態

一、弱体者ノ取扱

一、学徒ノ出勤状況

一、給食ノ状況

一、合宿ニ於ケル宿舎ノ良否

一、通勤時ニ於ケル交通機関ノ便否

一、其他

	二年 作業班	二年 満洲班
受入側ノ学徒ニ対スル取扱及作業配置ノ良否	良	良
学徒ノ健康状態	良	不良
弱体者ノ取扱	/	/
学徒ノ出勤状況	良	良
給食ノ状況	良	不良
合宿ニ於ケル宿舎ノ良否	良	良
通勤時ニ於ケル交通機関ノ便否	/	/
其他	/	/

東京帝國大學農學部農業工學教室

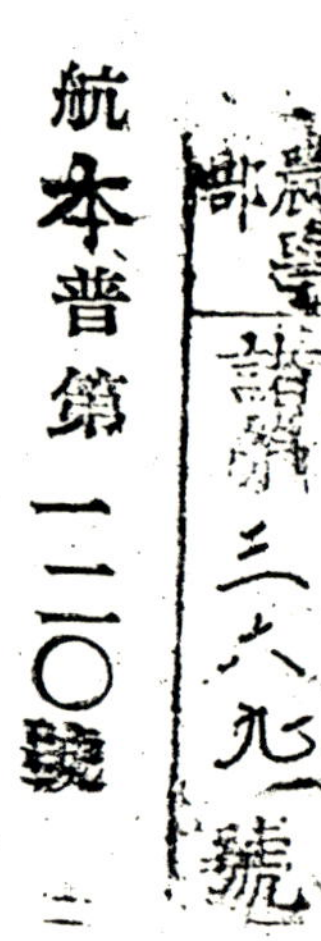

航本普第一二〇號

依託學生生徒夏季軍事教育ニ關スル件通牒

牛込區市ケ谷本村町

陸軍航空本部總務部長

昭和拾九年八月四日

東京帝國大學農學部長殿

陸軍依託學生生徒規則第十一條ノ規定ニ依ル夏季軍事教育ハ陸普第二八〇五號ニ依リ學徒勤勞動員間之ヲ中止スルコトニ定メラレタルニ付承知相成度

70

昭和十九年八月十八日起案

書記

書記官

學部長

案

三九五

動員中ノ依託學生、生徒復學ニ關スル件

八月五日付兵政教第二八六號ヲ以テ御申越ニ係ル標記ノ件

左記ノ通及回報候也

年　月　日

東京帝國大學農學部

東京帝國大學農學部

學部名

陸軍燃料廠宛　所中

記

卒業式期日　九月二十五日

第二案

前同文

第八陸軍技術研究所宛

国分寺

東京帝國大學

六六六號

東大庶第五五〇號ノ五

昭和十九年八月八日

東京帝國大學庶務課長

農學部長殿

動員中ノ依託學生生徒復學ニ關スル件

標記ノ件ニ關シ陸軍兵器行政本部總務部長ヨリ別紙寫ノ通申越候條御了知相成度此段及移牒候也

東京帝國大學

（寫）

兵教教第二八六號

動員中ノ依託學生、生徒復學ニ關スル件通牒

昭和十九年八月五日　陸軍兵器行政本部總務部長　㊞

東京帝國大學總長殿

動員中ノ技術部（兵技）依託學生、生徒三年生ノ復學ハ各學校卒業式十日前ト定メラレタルニ付依命通牒ス

追テ貴校卒業式期日決定セバ速ニ當部並ニ實習部隊宛通報セラレ度申添フ

尚見習士官豫定者トシテノ教育部隊（兵器學校）入隊ハ十月五日ト豫定スルモ後日通達セラルベキニ付爲念

廻覧　農業報國会理事長ヨリ食糧増産隊配属学徒見習幹部二関スル件
諸第三四七号
昭和十九年七月三十一日

事務室

農学科　演習林
農芸化学科　農場
林学科　水産実験所
獣医学科　御中
水産学科
農業経済学科　八月八日午後四時又午後五時
農業土木学科

農學部 三四七號

一九設長報第三九號

昭和十九年七月二十九日

農業報國會
理事長　田中長茂

學校長殿

學校報國隊長殿

食糧增産隊配屬學徒見習幹部ニ關スル件

食糧增産隊ニ對スル學徒配屬ニ關シテハ種々御配慮ヲ相煩シ御蔭ヲ以テ配屬後ノ學徒諸君ノ獻身的ナル活動ハ食糧增産隊ノ運營ニ好結果ヲ及ボシ居リ學校當局ニ深ク感謝致ス次第ニ有之候就テハ食糧增産ヲ學徒配屬ニ伴フ報償ニ關シテハ關係當局トノ協議未ダ決定ニ至ラズ一面學徒配屬以來既ニ一ケ月經過致シ此ノ間種々學徒諸君ニ御迷惑ヲ掛

掛申シ居リ候コトヲ考慮シ暫定的ニ之ガ經理方針ヲ左記ノ通各支部宛通牒致シ置キ候條此段及御通知候也

追而細目ニ關シ御希望等有之候ヘバ指導教官ノ巡回御指導ノ節各支部ニ對シ御連絡賜度申添候

記

一、月手當

イ、月二十四圓トスルコト

支部ニ於テハ右半額ヲ直接本人ニ支給シ他ノ半額ハ學校報國隊長ニ一括納付スルコト

ロ、領收證ハ學校報國隊長ヨリ受領スルコト

ハ、配屬學徒半月以下勤務セル場合ハ月手當ノ半額、半月以上勤務セル場合ハ全額ヲ支給スルコト但シ二、三日ノ超過ハ之ヲ認メザルコト

二、食費宿舎費

現物給與トスルコト

三、旅費

イ、食糧增產隊用務ヲ以テ出張セル場合ハ各支部ニ定ムル食糧增產隊幹部ニ準ジ支給スルコト

ロ、右ノ外志願ニ依ル場合ヲ除キ應召、徴兵檢査等公務ニ依リ歸郷又ハ旅行スル場合ハ旅費ヲ支給スルコト（三等實費、急行料、辨當代ヲ含ム）

ハ、私用又ハ應募等ノ場合ハ旅費ハ支給セザルコト

四、装備

食糧増産隊幹部ニ準ジ貸與スルコト

五、醫療救恤費

醫療費ハ支部ニ於テ實費ヲ支出スルコトトシ救恤費ハ農業報國會救恤規程ニ準ジ本部ニ於テ支出スルコト

農學部 第三四九號

獸發第四五二號

獸醫學徒勤勞動員業務等視察ニ關スル件通牒

昭和十九年七月二十九日　陸軍省兵務局獸醫課長

東京帝國大學農學部長殿

首題ノ件別紙計畫ニ依リ視察致度ニ付

便宜與ヘラレ度通牒ス

追テ學徒請入及附近陸軍部隊ノ馬衛生一般狀況モ同時視察致度ニ付申添フ

72

通牒先

軍馬補充部本部長、三本木、白河及高鍋支部長、陸軍獸醫資材本廠長
陸軍獸醫學校長、船舶獸醫部長、朝鮮軍獸醫部長 弘前、仙台、宇都宮
名古屋、大阪、姫路、廣島及熊本師團各獸醫部長、
文部省大學教育課長及專門教育課長、東大及北大農學部長
東京、盛岡、参考宇都宮、岐阜、鳥取、宮崎、鹿児島、参考水原 各農林
專門學校長 参考帯廣獸医畜産、麻布獸醫專門及参考慶應義塾獸醫專門
學校長 大阪、日本、東京 及参考山口 各高等獸醫學校長、
農商省畜産課長、馬政局馬産課長、東京都農務課長 獸疫調査所長
島根及愛知縣各農務課長、東京農業會長、東京牧場會社長
奥羽種畜牧場長、福島、鳥取、愛知 各種馬所長 鳥取共同育成所長

獣醫學徒動員等視察計画

第一 目的

獣醫學徒勤勞動員ノ活潑適確ナル實施ヲ督勵スルト共ニ優秀ナル陸軍獣醫部幹部ヲ得ル如ク將來ノ施策ニ資スルニ在リ

第二 視察事項

一、獣醫學徒ノ出動及請入狀況

二、請入獣醫學徒ノ軍事教育、軍陣獣醫學教育實施狀況

三、關係部隊ノ馬衛生一般狀況

第三 視察要領

一、視察日程

別表ノ如シ

細部ニ關シテハ被視察場所ノ計画スル所ニ依ル

二、視察ヲ受クル部隊ハ左記事項ニ付説明シ作業教育及
内務ノ實況ヲ供覧スルモノトス

(一) 獸醫學徒ノ取扱要領

(二) 獸醫學徒ノ勤務作業状況

(三) 獸醫學徒ノ教育状況

(四) 將來ニ關スル意見

部外事業場等モ右ニ準セラレ度

三、當該學徒動員差出及請入側關係者ハ努メテ立會シ且為シ得レハ學校側ニ於テハ他校ノ状況ヲ同時見學スル如クセラレ度

獸醫學徒動員等視察日程表（案）

八月

日	曜	視察官　獸醫課長	視察官　荒井中佐	視察官　土丘少佐
二日	水	九、〇〇 陸軍獸醫學校（東農、宿泊中ノ依託生ヲ會ス）		
三日	木		九、〇〇 陸軍獸醫資材本廠	
四日	金		九、〇〇 獸疫調査所	
五日	土	九、〇〇 東京農業會		
六日	日			
七日	月		九、〇〇 東京牧場會社	
八日	火		→	
九日	水		白河支部 福島種馬所	
十日	木			
十一日	金		鍛冶沢派出部	
十二日	土		仙台師團（午前）	
十三日	日		←	→
十四日	月	→		愛知種畜場

摘要

細部ニ就テハ視察場所ノ計画スル所ニ依ル

日	曜			
十五日	火	大館軍馬購買員		岐阜高農
十六日	水	弘前師團		大阪獸医資材支廠
十七日	木			大阪師團 大阪高獸
十八日	金	三本木支部		鳥取種馬所
十九日	土	七戸派出部 奥羽種馬所 ←		
二十日	日	←		島根共同育成所
二十一日	月	←		
二十二日	火			
二十三日	水			鹿児島港ニ於ケル検疫視察 鹿児島農林
二十四日	木			
二十五日	金			小林派出部
二十六日	土			宮崎高農
二十七日	日			高鍋支部 高鍋支廠 ←
二十八日	月			←
二十九日	火			←

旅行計画ハ別途連絡ス

視察細部ニ就テハ各視察場所ノ計畫スル所ニ依ル

備考

一、本表ハ時宜ニ依リ変更スルコトアルヘシ

二、各関係場所ニ於テ御意見アラハ承リ度

學部長
書記官

案
農學部大第八五三號
學徒動員ニ關スル件

獸醫學科　二年生　吉田學生　下田與四雄
同　今村照久

右本學部獸醫學科學生ハ動員第三五八號ニ依リ七月二十日ヨリ陸軍獸醫學校ニ出動中ノ處斜學研究補助トシテ來ル八月十日ヨリ滿洲國ニ研究ニ從事致サセ度候條御承認方可然御取計相成度候也

東京帝國大學

東京帝國大學

年　月　日

學部長

學生課長宛

記

一 旅行先　満洲國各地

一 期間　自八月十日 至九月三十日 五十一日間

一 目的　文部省科學研究ニ係ル「大陸ニ於ケル軍馬資源培養ニ關スル調査研究」實施ノ為

一 事由　馬ノ生態測定術者及補助トシテ調査研究ニ從事

一 指導者　東京帝國大學助手 野村晋一

B列4

昭和十九年八月四日

獸醫學科主任田中丑雄

代理　板垣四郎

農学部長　三浦伊八郎殿

学徒勤労動員ニ関スル件ニ付左記ノ通リ照會相成度

及御願候也

記

年　月　日

農学部長

文部省専門教育局第一部長殿

東京帝國大學

東京帝國大學農學部獸醫學科

二年相當學生　下田與四雄

今村照久

右者現在陸軍獸醫學校ニ於ケル學徒勤勞動員作業ニ參加候處左記ニ據リ科學研究補助トシテ渡滿調査研究ニ從事セシメ度候間御承認相成度此段及御願候也

記

一、旅行先　滿洲國各地

一、期間　自八月十日至九月三十日　五十一日間

一、目的　文部省科學研究ニ係ル「大陸ニ於ケル軍馬資源培養ニ關スル調査研究」實施ノ爲

一、事由　馬ノ生態測定術者及補助トシテ調査研究ニ從事

東京帝國大學

B列4

一、指導者　東京帝國大學助手　野村晉一

東京帝國大學

土

滿洲土地開發株式會社

農開一一總人第一九一號

康德十一年八月七日

東京帝國大學農學部長　殿

滿洲農地開發公社
理事長　花井脩治

勤勞動員學徒ニ關スル挨拶ノ件

拜啓　盛夏之候益々御清穆之段奉賀候
陳者勤勞動員學徒ノ派遣ニ關シテハ格別ノ御高配ヲ賜リ厚ク御禮申上候學徒ハ炎天下酷暑ヲ物トモセズ左記事業地區ニ於テ緊急農地造成事業ノ一翼ヲ荷負ヒ調査、測量工事監督等ニ精勵致居候間何卒御休心被下度尚ホ弊社トシテモ勤勞動員ノ趣旨ニ副ヒ充分ノ成果ヲ擧クル樣取計フ所存ニ御座候間今後共何分ノ御援助賜度願上候
先ツハ乍延引學徒ノ近況報告旁々御禮迄如斯ニ御座候

敬具

新京特別市大同大街一〇三

用0126　電話代表②七六一六番

滿洲土地開發株式會社

記

金城哲雄外九名

吉林省京白線

第二松花江開發本部

回覧

学生課長ヨリ勤労動員学徒ニ対スル主要食糧ニ関スル件

大才六二七号
昭和十九年七月二十五日

事務室

農學科
農藝化學科
林學科
獸醫學科
水産學科
農業經濟學科 八月十六日 八月十七日
農業土木學科

~~演習林~~
~~農場~~
~~水產實驗所~~

御中

東京帝國大學

東京帝大學第二八二號

昭和十九年七月二十四日

學生課長　大室貞一郎

農學部長　三浦伊八郎　殿

勤勞動員學徒ニ關スル主要食糧ノ特別配給ニ關スル件

標記ノ件ニ關シ學徒動員本部第三部長ヨリ別紙ノ通申越候條委曲右ニテ御了知相成度此段依命及移牒候也

東京帝國大學

動體一一號

昭和十九年七月十三日

學徒動員本部第三部長

直轄學校長
公私立大學高等專門學校長 殿

勤勞動員學徒ニ對スル主要食糧ノ配給ニ關スル件

標記ノ件ニ關シ別紙寫ノ通食糧管理局長官ヨリ地方長官宛通牒相成タル
ニ付御了知相成度此段及通牒

追而之ガ具體的措置ニ關シテハ關係地方長官ニ連絡相成度

（寫）一九食糧第二〇二二號

昭和十九年六月二十日

食糧管理局長官

地方長官殿

勤勞動員學徒ニ對スル主要食糧ノ配給ニ關スル件

學徒ノ全面的ナル勤勞動員ノ實施ニ伴ヒ之ニ對スル主要食糧ノ配給措置ニ關シテハ既ニ一部地方ニ於テハ特配ノ實施相成居ルヤニ仄聞致居候處本件ニ關シテハ概ネ左記方針ニ依リ措置致スコトト相成候條御諒知ノ上學徒ノ勤勞動員上遺憾ナキヲ期セラレ度此段及通牒候也

一 而學徒ノ勤勞動員中工場事業場等ヘノ所謂通年動員ニ該當スルモノハ本年度國民動員計畫中ニ包含セラレ居ルモノニ有之從而通年動員學徒ニ對スル本件措置ニ伴フ需要ニ關シテハ昨年十二月ニ指示相成タルガ如ク既ニ賣却割當豫定數量中ニ織込濟ノモノニ有之候處本年度第一四半期ノ國民動

東京帝國大學

員計畫ハ十二月ニ於テ豫定セルモノニ比シ若干ノ組替ヲ來シ居リ此ノ結果一部需要ノ增加ヲ來スベク且國民動員計畫中ニ包含セラレザル臨時的ナル勤勞動員學徒ニ付テモ應急的措置ヲ講ズルノ要可有之ト被認候條此際今後ノ需要增加申込ニ付キ七月乃至十月分ノ賣却割當數量中ニ考慮致置候ニ付御諒知相成度申添候

記

一、工場事業場等ニ配置セラレタル學徒ニ對スル措置

(1)工場事業場等ニ配置セラレタル學徒ニ對シテハ其ノ配置セラレタル職種ニ應ジ當該職種ニ從事スル勞務者ト等量ノ配給量(臨時特別配給量ヲ含ム)ノ配給ヲ行フモノトス但シ學徒ニ付キ其ノ作業時間、作業日數等ニ付輕減的考慮アル爲一般勞務者ニ比シ勞務程度輕キガ如キコトアル場合又ハ動員期間ガ短期ナル場合等ハ右該當職種勞務者ニ對スル配給量ヲ最高限度トシ地方長官ニ於テ適宜之ヲ減量スル等ノ方法ヲ講ズルモノトシ又動員期間ノ短期ナル場合ハ可及的特配券ヲ臨時ニ發行スル等ノ方法ニ依ルモノトス

東京帝國大學

(三)右(一)ノ措置ニ際シテハ學校長及工場主、事業場主ノ證明書ニ依ル等的確ナル方法ヲ採リ又證明書ノ有效期間ヲ適宜限定スル等ノ措置ヲ講ジ期間滿了ノ都度新ナル證明書ニ依リ更ニ繼續ノ措置ヲ採ラシムル等其ノ配給ノ的確ヲ期スルモノトス

(四)本件措置ニ伴ヒ增量セラルル分ニ付テハ可及的工場事業場等ニテ現場給食ヲ實施スル樣指導スルモノトス

三　(一)以外ノ動員セラレタル學徒ニ對スル措置

(一)一以外ノ動員學徒ニ對シテハ其ノ動員期間、作業種類等ニ依リ地方長官ニ於テ適宜臨機的ニ特配ノ措置ヲ講ズルコトヲ得ルモノトス

(二)右特配ヲ行フ場合ノ配給方法ニ付テハ一ノ(一)但書ノ短期動員ノ場合ト同樣特配券等ヲ臨時ニ發行スル等一ノ方法ニ依ルモノトス

大米六五五号

回覧 學生課長ヨリ

學徒動員ニ伴フ事故防止並ニ報告ニ關スル件

昭和十九年八月九日

事務室

~~演習林~~

~~農場~~

~~水產實驗所~~

御中

農學科

農藝化學科

林學科

獸醫學科

水產學科

農業經濟學科

農業土木學科

農學部 大務六五五號

東京帝大學第三〇〇號

昭和十九年八月四日

學部長
書記官
農學部長 三浦伊八郎 殿

學生課長 大室貞一郎

學徒動員ニ伴ウ事故防止並ニ報告ニ關スル件

標記ノ件ニ關シ文部省學徒動員本部第三部長ヨリ別紙寫ノ通リ申越候條委曲右ニテ御了知ノ上可然御配意相煩度此段依命及移牒候也

追而別記二項ニ依ル報告（様式(ロ)）ニ關スル第一期分（四月－六月）御作製ノ上當課宛御回報相成度

發動一國發

昭和十九年七月二十六日

學徒動員本部第三部長 印

國府縣學校長

公私立大學、高等學校、專門學校長 殿

學徒動員等ニ伴フ事故防止竝ニ報告ニ關スル件

學徒勤勞動員ニ伴フ災害事故ノ防止ニ關シテハ受入側ト協力ノ上夫々適正ナル指導ニ付御配意相成居ラルルコトト存ズルモ既ニ事故發生ノ事例モ有之一層事故防止徹底方ニ關シ措置セラルルト共ニ萬一勤勞動員ニ伴ヒ事故發生ノ場合ニ於テハ爾今左記ニ依リ至急御報告相成度此段及通牒

追而學徒動員等援護事業ニ關シ目下計畫中ニ有之モ差當リ死亡ノ場合ニ於テハ從前ノ例ニ依リ弔慰等ノ方法ヲ講ズルコトアルベキニ付遺憾ナク御連絡相成度

障ナク御連絡相成度

尚防空防衛ニ伴フ事故、航空訓練ニ伴フ事故其ノ他教育訓練ニ伴フ事故ニ關シテモ爾今本件ニ準ジ御報告相成度爲念

記

一、死亡及重傷病（療養ノ爲三週間以上ニ亘リ休業ヲ要スベキモノ又ハ不具廢疾等ノ虞アルモノ）ニ關シテハ其ノ都度遅滞ナク別紙様式(一)ニ依リ報告ノコト

二、其ノ他ノ傷病ニ關シテハ別紙様式(二)ニ依リ四半期（四月－六月、七月－九月、十月－十二月、一月－三月）毎ニ取纏メ報告ノコト

三、派遣教職員ニ關シテモ前各號ニ依リ報告ノコト

四、本報告ハ本年四月一日ヨリノ事故ニ付之ヲ爲スコトトシ既ニ報告濟ノモノニ關シテモ本　定ノ様式ニ依リ改メテ提出セラレ度コト

五、本件ノ報告ハ中等學校程度以上（高等學校尋常科、國民學校高等科ヲ含ム）ニ付之ヲ爲スコト

（様式一）

学徒動員ニ伴フ死亡（重傷病）報告

学校ノ所在地及名称

1、学科、学年、氏名及生年月日

2、学徒動員申請（請求）者氏名及所在地

3、出動期間

4、事故発生ノ年月日、時間及発生場所

5、事故発生前後ノ状況並ニ原因

6、事故ノ程度（傷害ノ場合ニ在リテハ其ノ部位、治療見込日数、不具廃疾トナリタルモノ又ハ其ノ虞アルモノニ付テハ其ノ程度、疾病ノ場合ニ在リテハ其ノ病名及症状等ヲ記載スルコト）

7、受入側及学校側ノ採リタル措置

8、死亡ノ場合ニ於テハ葬儀、其ノ他ノ区別其ノ期日並ニ場所

9、保護者又ハ遺族ノ住所氏名

10、其ノ他特ニ必要ト認ムル事項

北海道千歳郡
千歳航空基地気付
ウ二七二一九
金内弘一

年　月　日

學校長名又ハ
地方長官名

文部大臣　宛

備考

1、防空防衛等ヲ場合ニ於テハ本様式ニ準ズルノ外特ニ左ノ點ヲ明ニスルコト
學校府縣防護團トシテ出動中ナリヤ、學校職員防空補助隊トシテ出動中ナリヤヲ區別シ且出動先ヲ記載スルコト

2、航空訓練其ノ他教育訓練ニ伴フ學校ノ場合ニ於テモ本様式ニ準ズルノ外特ニ訓練事項、訓練ノ場所、訓練期日、講習會ニ參加シタル場合ニ於テハ其ノ主催者等ヲ記載スルコト尚主催者アル場合主催者ノ採リタル措置ヲ記載スルコト

3、中等學校以下ノ學校ニ關シテハ當該學校ノ所管地方長官ヨリ報告スルモノトシ且届出ノ形式ニ依ルモ差支ナキコト

記載上ノ注意

一、當該期末ニ於テ現ニ療養中ノモノハ備考欄ニ其ノ旨記載スルコト

二、工場、事業場ノ事故、食糧増産、土木建築等ニ依ルモノ、教育訓練ニ依ルモノハ夫々之ヲ別表トスルコト

三、防空、防衛中ノ事故ハ其ノ都度報告スルコト（コノ場合ハ原因別、等ハ不用ナルコト）

四、航空訓練其ノ他教育訓練ニ依ルモノハ訓練ノ種目別ニ分チ原因別、部位別ハ之ヲ分ツヲ要セズ

五、原因別、部位別欄中ノ數字ハ受複スルモノナリ

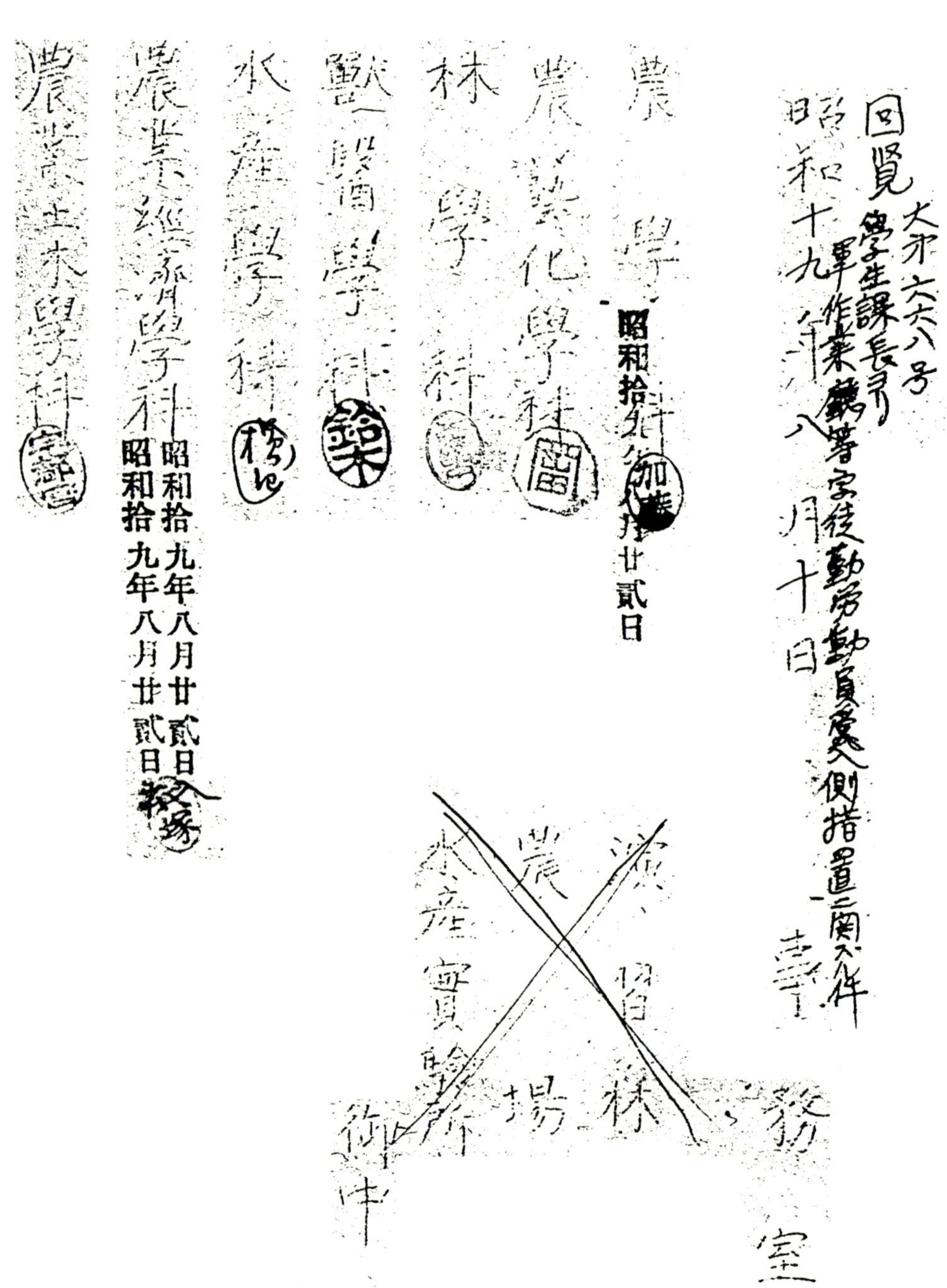

回覧 大分六六八号

昭和十九年八月十日

農学生課長ヨリ

軍作業等学徒勤労動員実施側措置ニ関スル件

主幹

事務室

演習林

農場

水産実験所

御中

農学科　昭和拾九年八月廿弐日

農芸化学科

林学科

獣医学科

水産学科

農業経済学科　昭和拾九年八月廿弐日　昭和拾九年八月廿弐日

農業土木学科

77

東京帝國大學

農學部 大発六六八號

東京帝大學第三〇七號

昭和十九年八月八日

學生課長　大室貞一郎

農學部長　三浦伊八郎　殿

軍作業廳等學徒勤勞動員受入側措置ニ關スル件

標記ノ件ニ關シ文部省學徒動員本部第三部長ヨリ別紙寫ノ通リ申越有之候

條委曲右ニテ御了知相成度此段依命及御通知候也

動員一六號

昭和十九年七月二十六日

學徒動員本部第五部長　印

直轄學校長

公私立大學高等專門學校長　殿

都道府縣長官

軍作業廳等學徒勤務動員受入側措置ニ關スル件

標記ノ件ニ關シ別紙寫ノ通陸軍一般ニ示達セラレタル旨陸軍省兵備課

ヨリ通知有之タルニ付御了知相成度此段及通知

（寫）

驗書第二一四三號

軍作業廳等學徒勤勞動員受入側措置ニ關スル件

陸密ヨリ陸軍一般へ通牒

首題ノ件別冊昭和十九年五月三日動總第一一號ヲ準用スルノ外給與、服務竝ニ罰責ニ關シテハ別紙ノ通定メラレタルニ付依命通牒ス

東京帝國大學

（別紙）

一、給與

(1)手當ハ別表ニ依リ之ヲ給ス但シ土地ノ状況、事業（工員ヲ含ム）給與トノ均衡、就業時間等ニ依リ所管長官ニ於テ之ヲ減額スルコトヲ得

(2)隊員又ハ其ノ家族危篤若ハ死亡ノ場合ハ陸軍旅費規則第二十七條乃至第二十九條ノ例ニ從ヒ歸省又ハ出頭ニ要スル旅費ヲ給スルコトヲ得

(3)隊員勤務ニ要スル交通費ハ所管長官ニ於テ必要ト認メタル場合ハ部隊ニ於テ實費ヲ負擔シ定期券等ハ回數券ヲ購入ノ上隊員ニ交付スルコトヲ得

(4)昭和十七年勅令第一六三號（國民勤勞報國協力令ニ依リ從事ニ協力スル者等ノ給與ニ關スル件）第一號、第三號及第六號ハ隊員ノ給與ニ付準用ス

(5)(2)乃至(4)ノ規定ハ派遣責任教職員ノ派遣間ノ給與ニ付準用スルコトヲ得

(6)隊員ノ給與中金額ヲ以テ支給ニ係ル分（(2)ヲ除ク）ハ學校報國隊ヘ一括交付ス

東京一二五九

(ハ)當該研究ニ協力スル期間引續キ三月ニ満タザル學校報國隊ノ給與ニ付テハ本規定ニ拘ラズ昭和十七年勅令第一六三號ヲ適用ス

二、醫療

學徒勤勞ニ從事中傷痍ヲ受ケ又ハ疾病ニ罹リタルトキハ其ノ取扱ハ健康保險ノ醫療給付ニ準ズルモノトシ治療ノタメ特ニ要スル經費ハ補助費支辨トス但シ作業特別會計ニ在リテハ同會計ノ負擔トス

三、恩賞

學徒勤勞ニ從事中事故(死亡又ハ負傷)ヲ生ジタル場合ハ昭和十八年九月四日勅令第一三六七號勤勞奉仕ヲ行フ國民(者)ノ取扱要領ニ關スル件ヲ準用スルモノトス

別表

種別	
學校	大學
手當月額(圓)	七〇

区分	学校	金額
男子	専門学校、高等学校、高等師範学校、大学豫科、師範学校（本科）、青年師範学校	六〇
	中等学校又ハ之ニ準ズルモノ師範学校（豫科）	五〇
女子	専門学校、師範学校（本科）、青年師範学校、師範学校（豫科）	五〇
	中等学校又ハ之ニ準ズルモノ	四〇

備考

一 月ノ中途ニ於ケル出動若ハ退去又ハ欠勤ニ関シテハ日割計算（一月ヲ三十日ト看做ス）トス

二 昭和十七年勅令第一六三號ヲ準用シ給食シタル場合ハ一食ニ付三〇銭以内ヲ本手当ヨリ減額スルモノトス

三 定時間ヲ超エ就業スル場合ハ部隊長ノ定ムル所ニ依リ一日ニ付本手当ノ三百分ノ二以内ヲ増額スルコトヲ得

四 二十二時以降翌朝五時ニ亘ル間就業セシメタル場合ハ部隊長ノ定ムル所ニ依リ一回ニ付本手当ノ三百分ノ五以内ヲ増額スルコトヲ得

五 隊員協力終了退去ノ際ハ本手当ノ三分ノ一ヲ支給スルコトヲ得　但シ協力期間引續キ十月ニ満タザル場合ハ此ノ限ニ在ラズ

東東一二五九

陸亞普第一六三號

國民勤勞報國協力令ニ依リ陸軍ニ協力スル者等ノ給與ニ關スル件陸軍一般ヘ通牒

昭和十七年三月二十五日　陸軍省副官

國民勤勞報國協力令ニ依リ陸軍ニ協力スル國民勤勞報國隊ニ勤勞奉仕ヲ行フ團体（者）ノ給與ハ左記ニ依ルコトニ定メラレタルニ付依命通牒ス

左記

一　交通費

從業ノ爲部隊ニ出發及歸着（[illegible]）ノ場合ハ現住地（團体トシテ協力スル場合ニ在リテハ所屬セル團体又ハ學校所在地ヲ謂フ以下同ジ）ト部隊ノ所在地間ノ鐵道運賃（寢臺賃ヲ含ム）船賃及車馬賃ノ實費ヲ給スルコトヲ得

部隊ノ所在地ノ市町村（之ニ準ズルモノヲ含ム以下同ジ）ニ現住所ヲ有スルモノニ對シテハ所管長官ニ於テ特ニ必要アリト認メタル場合ニ

東京帝國大學

報ヲ徵發ニ要スル交通費ノ實費ヲ給スルコトヲ得
第三項ノ料金ニ等級アルトキハ最下級ノ額ニ依ル

三 手當
手當ハ國費ニ依リ之ヲ給ス但シ土地ノ狀況等ニ依リ所轄長官ノ認可ヲ受ケ之ヲ增額スルコトヲ得

四 被服、寢具及食料
被服ノ汚損著シキ作業ニ從事セシムル場合ニ必要ト認メタル場合ハ割增ノ被服寢具料ヲ給スルコトヲ得但シ作業用被服ハ貸與スル場合ハ被服寢具料ノ支給ニ代ヘ之ヲ貸與スルコトヲ得
徵發ノ所在地ニ宿泊シ遠隔勤務ニ從事スル者ニ在リテハ第二號ノ手當ノ外其ノ宿舍ニ關シ實費ノ宿泊料ヲ給ス但シ勤務所在地ノ同一市町村ニ現住地ヲ有スルモノニ在リテハ此ノ限ニ在ラズ
官ノ宿舍ニ起臥セシムルモノニ在リテハ前項ノ宿泊料ニ代ヘ國費ノ食料ヲ給ス

五 支給要領

東京一二五九

前各號ノ給與中金錢ヲ以テ給付ニ係ルモノハ個人ニ依ル協力又ハ奉仕ノ場合ヲ除クノ外之ヲ當該報國隊又ハ當該團體ノ代表者ニ交付ス
報國隊團體又ハ個人ニシテ金錢ヲ辭退シタル場合ハ交通費等ノ實費ヲ除クノ外努メテ國防獻金又ハ恤兵金トシテ取扱ハシムル如ク指導スルモノトス

五、治療

勤勞ニ從事中之ニ起因シテ傷痍ヲ受ケ又ハ疾病ニ罹リタルトキハ六月以內ニ限リ其ノ治療ニ要スル經費ハ實費支辨トス

六、本表ニ依ル經費ハ勤勞ニ服スル業務區分ニ基キ相當科目ノ支辨トス

別表

區分 年齡	手當（日額） 男	手當（日額） 女	[illegible]料（一日ニ付）	宿泊料（一夜ニ付）	食料（一食ニ付）
一 二十五歲以上	二圓〇〇〇	一圓四〇〇	圓	圓	圓

東京帝國大學

二十歳以上二十五歳未満	十四歳以上二十歳未満	專門學校以上	中等學校以上（青年學校卒業者ヲ含ム）	國民學校
學歴				
一、六〇〇	一、〇〇〇	一、三〇〇	九〇〇	五五〇
一、〇〇〇	七〇〇	一、〇〇〇	八〇〇	五〇〇
一、〇〇				
三、〇〇〇				
朝 、三〇〇	夕 、三〇〇			

備考

一 本手當ハ一日十時間ヲ定時間トスル勤務ニ付定メラレタル額ナルヲ以テ定時間未満ノ勤務ニ付テハ部隊長ニ於テ減額スルモノトス

二 勤務十時間ヲコユル場合ニ在リテハ超過一時間ニ付本手當ノ十分ノ一以内ヲ増給スルコトヲ得

三 危険又ハ衛生上有害ナル作業ニ従事セシメタル場合ニ在リテハ部隊長ノ定ムル所ニ依リ本手當ノ十分ノ三以内ヲ増給スルコトヲ得

四 半日ノ勤務ニ對シテハ本手當ノ半額ヲ支給ス

五 宿泊料及食料ハ本定額ノ範圍内ニ於テ土地ノ状況ヲ斟酌シ所管長官之ヲ定ム

六 食料ハ一泊ニ付朝夕各一食ヲ支給スルモノトス但シ宿泊料ヲ給スル者ニハ食料ハ之ヲ給セズ

附

本通牒ハ昭和十九年四月一日ヨリ之ヲ適用ス但シ本通牒ノ趣旨ニ協力シ又ハ奉仕ヲ終リ部隊ニ在ラザルモノニ就テハ此ノ限ニ在ラズ

東京一二五九

動第一〇三九号

十九年七月十四日

次官當 東京帝國大學長

資源局動員計畫課長

總長宛

陸軍獣醫部依託學生動員ニ関スル件

一、三年 十七名

二年 三名 動員ス

期間 三年（七月三十日 九月十日）

二年 七月三十日

三年 七月三十日 自 百二十日

東京帝國大學農學部

東京帝國大學農學部

昭和三〇年　月　三日

文部省学術奨励審議会
人事部長

係長殿

獣醫學科教授三〇年度選考委員会

三〇年　十二月　選考委員会開催

回覧
獣醫指導者選考に関し　三〇、一〇、四
農學科主任　二〇
獣學科主任　四
経學科主任
御中
（指導者推薦せよ）

（日本標準規格 B4ノ1）

昭和十九年九月十三日　事務室

別紙學徒勤勞令施行規則／要項写回付ス

上
農學科（加藤）
右書類（九月二十二日迄返還相成度シ）

農藝化學科（岡田）

林學科（森本）

獸醫學科（梁）

水産學科（中村）

農業經濟學科（大塚）

農業土木學科

農場

水産實驗所

御中

78

農學部 大學七一九號

東京帝大學第三三八號

昭和十九年八月三十一日

學生課長 大室貞一郎

農學部長 三浦伊八郎殿

學徒勤勞令施行ニ關スル件

標記ノ件ニ關シ文部次官、厚生次官、軍需次官連名ヲ以テ別紙寫ノ通リ申越候條委曲右ニテ御了知ノ上可然御配意相煩度此段依命及移牒候也

昭和十九年八月二十三日

文部次官　印
厚生次官　印
軍需次官　印

直轄学校長
公私立大学高等専門学校長
地方長官
軍需監理部長　殿

学徒勤労令施行ニ関スル件

緊迫セル戦局ノ推移ニ対処シ決戦完遂上学徒ノ勤労動員ヲ徹底強化シ軍需生産等ヲ最高度ニ増強スルノ必要ニ依リ今般新ニ法制的措置トシテ学徒勤労令制定セラルルコトト相成八月二十三日

勅令第五百十八號ヲ以テ公布施行セラレ之ニ伴ヒ文部、厚生、軍需省令ヲ以テ同令施行規則同日施行相成タル處右ハ學徒勤勞ノ特殊性並ニ其ノ重要性ニ基キ殊ニ學徒勤勞ヲ一般國民勤勞報國協力令ニ依ル協力ト切離シ一層學徒勤勞精神ノ徹底強化ヲ圖リ其ノ圓滑ナル實施ヲ期セントスル趣旨ニ有之、之ガ實施ニ關シテハ不日詳細指示相成ヘキ見込ノ所、本令公布ノ趣旨篤ト御了知ノ上、取敢ヘス本令施行ト共ニ速急處理ヲ要スヘキ左記事項ノ取扱ニツキ遺憾ナキヲ期セラレ度此段及依命通牒候

記

一、本令施行前既ニ國民勤勞報國令第五條ノ規定ニ依リ申請（請求）シ同令ニ依ル協力令ノ發動ニ依リ現在實施中ノ學徒勤勞ハ本令附則ニ依リ更メテ本令ニ依ル出動命令書ノ交付ヲ俟タズ本令施行ノ日以後ハ本令ニ依ル學徒勤勞ト看做サレ自今本令ノ適用ヲ受クルコト

二、本令施行前既ニ國民勤勞報國協力令第五條ノ規定ニ依リ申請（請求）シ未ダ該令ニ依ル出動命令書ノ交付ヲ受ケ居ラザル現在實施中ノ學徒勤

勞ニツイテハ文部大臣又ハ地方長官ハ速ニ本令第八條及規則第六條ノ規定ニ依リ出動令書ヲ發布スベキコト但シ既ニ國民勤勞報國協力令第六條ニ依ル出動令書ノ發布手續進行中ノモノハ該令ニ依リ發令スルモ差支ヘナキコト此ノ場合ハ本令附則ニ依リ其ノ學徒勤勞ハ本令ニ依ル學徒勤勞ト看做サルルコト

三 現在實施中ノ學徒勤勞ニシテ未ダ申請（請求）手續未了ノモノハ本令施行後直ニ本令ニ依ル申請（請求）手續ヲ爲サシムルモ特ニ左ノ取扱ニ依リ處理スルコト

(イ) 右ノ内本令施行前昭和十九年六月三十日迄ニ昭和十九年度第一四半期割当ニ依ル通年ノ學徒勤勞ニ關シ厚生大臣若ハ文部大臣又ハ地方長官ヨリ學徒出動配置決定ニ關スル指示ヲ受ケタル者ハ本令施行後十五日ヲ超エ尚學徒勤勞ヲ受クル場合ハ本令第六條ノ規定ニ依ル申請（請求）ヲ爲シタルモノト看做シ更メテ申請（請求）手續ヲ要セザルコトトスベキヲ以テ地方長官ハ適當ナル方法ヲ以テ學徒勤勞ヲ受クル事業主ニ對シ其ノ旨諒知セシムルコト

(ロ) 昭和十九年七月一日以後ニ出動配置決定シタル學徒勤勞ニ關シテハ正規

ノ申請（請求）ヲ要スルモノニ付テハ通年、緊急ヲ問ハズ本令施行後十五日以内ニ本令第六條及規則第三條ニ依ル申請（請求）ノ手續ヲ為スベキコト

四、前項(イ)ノ場合ニ於テハ文部大臣又ハ地方長官ニ於テ令第八條及規則第六條ノ規定ニ依リ出動令書ヲ發スベキコト

(ロ)ノ場合ニ於テハ事業主ヨリノ申請（請求）ヲ俟チテ令第八條及規則第六條ノ規定ニ依リ出動令書ヲ發スベキコト

五、三、ノ(ロ)ノ場合ニ於ケル申請（請求）書ニ記載ノ「所要期間」並ニ二、及四、ノ(イ)(ロ)ノ場合ニ於ケル出動令書ノ「出動期間」記載方法ハ左ニ依ルコト

(イ)通年ノモノニ付テハ本令第五條ニ依ルベキ義ナルモ差當リ本年度ノ取扱ヒトシテハ本令施行ノ日ヲ始期トシ本年度學年末ヲ以テ終期トシ記載スルコト

(ロ)臨時緊急動員ニ付テハ本令施行ノ日ヲ始期トシ、當初豫定ノ終期ヲ以テ記載スルコト

(ハ)本年九月卒業見込ノモノノ終期ハ九月三十日ヲ以テ終期トスルコト

六、規則第三條後段ニ依リ地方長官令第六條ノ申請（請求）ヲ受理シタ

ルトキハ右申請（請求）書ハ内政部ニ於テ之ヲ受理スベキコト

七、規則第五條第一項ニ依ル場合ニ於テ臨時緊急ナルモノトハ概ネ學徒勤勞所要期間三ケ月以内ノモノヲ指稱スル趣旨ナルニ付右ノ所要期間以内ニシテ所定ノ業務ニ付大學高等專門學校以外ノ學徒ニ關スル場合ハ地方長官ニ申請（請求）スベキコト

八、地方長官規則第五條第一項ノ規定ニ依ル臨時緊急ナル業務ニ關スル申請（請求）ヲ受理シタルトキハ事前ノ割當指令ノ有無ニ拘泥シテ出動命令書ノ發令ヲ遲延セシムルコトナキ様出動可能ナル人員ノ範圍内ニ於テ割當アリタルモノト看做シ機宜ノ措置ヲトルコト令第十條第一項及規則第八條ノ場合モ右ノ取扱ヒニ準ズルコト但シ規則第五條第二項ノ場合ハ嚴密ニ割當人員ノ範圍内ニ於テ申請（請求）セシムルコト

九、前項ノ規則第五條第一項ニ依ル三ケ月以内ノ臨時緊急動員ニ於テハ國民動員實施計畫上必要ナルトキハ出動後二ケ月ヲ經過シタル者ハ之ヲ引上ゲル場合アルベキニ付豫メ諒知ノコト

十、令第八條ニ規定スル特別ノ場合トハ左ニ掲グルガ如キ場合ヲ謂ヒ通常ナカ

カル事態ノ絶無ヲ期スル趣旨ナルモ萬一之ニ該當スルガ如キ場合アリタルトキハ文部大臣又ハ地方長官ハ直ニ生産管理諸官廳ト協議シ必要ナル措置ヲ決定指示スルコト

(一)學校所在地遠隔ニシテ且當該作業地ニ宿舎ノ設備ナキ場合

(二)作業ノ内容危険又ハ有害ニシテ且之ニ對スル防設不完全ト認メラルル場合

(三)其ノ他右ニ準ズルガ如キ事情ニ依リ學徒勤勞ヲ爲サシムルニ著シク支障アリト認メラルル場合

十一、學校長ハ令第十條第一項及規則第八條ニ依ル申請(請求)ヲ受理シタル時ハ學校報國隊出動命令書ヲ用フルコトナク學校長申請(請求)ノ内容ヲ調査シタル上直ニ令第十條第二項ノ措置ヲ爲スベキコト、コノ場合ニ於テハ直ニ其ノ旨大學高等専門學校ニ在リテハ文部大臣ニ、其

ノ他ノ學校ニ在リテハ地方長官ニ報告スベキモノトシ右報告書ノ様式ハ追テ指示
スベキモ差當リ申請（請求）ノ住所、身分及氏名、作業場ノ所在地及名稱、
作業ノ種類、出動期間、其ノ他参考トナルベキ事項ヲ記載スベキコト

十六、令第十三條及規則第九條ノ規定ニ依リ學徒勤勞ヲ停止スベキ場合ニ
關シテハ右ニ依リ取扱ノ簡單ヲ期スルコト

(ハ)規則第九條第二項ニ規定ニ依ル關係官廳トノ協議ニ關シテハ、追テ指示
スベキモ地方長官ニ於テ措置ヲ必要ト認ムル場合ハ其ノ状況ニ付詳細監
督官廳ニ報告シ其ノ指示ヲ待ツベキコト

(ロ)一般ニ學校長ハ獨斷ヲ以テ學徒勤勞ヲ停止セシムルコトヲ得ザル義ニ付學校長
之ガ措置ノ必要ヲ認メタルトキハ(イ)ニ準ジ其ノ状況ヲ詳細監督官廳ニ具情
スルコト

令第十條ノ規定ニ依リ學校長ガ學校報國隊ノ出動ヲ指示シタル場合ニ於
テモ亦同ジ

十三、規則第十二條第二項ニ規定スル特ニ必要アリト認ムル場合トハ昭和十九年五

月三日通牒ノ「工場事業場等學徒勤勞動員受入側措置要綱」七(四)ニ定ムル弔慰金ヲ支給スル場合ニシテ地方長官限リ同項ニ規定スル扶助ノ額ヲ増減スルコトヲ得ザルニ付諒知ノコト

備考

昭和十九年八月二十二日公布勅令第五一八号學徒勤勞令

御參照相成タシ

以今ノ学生ヲ撰定シ経記ガ興ヲ通知相成候様致度（電話）

九月廿八日

書記室

農学部和男部御中

学生御担当御中

一、二〇年掛出学生　七名

一、実習先　福島県田村郡船引町役場（同県農業会船引町支所）

一、実習期間　自十月一日　至十二月下旬

B
列
5

19912

學部長
書記官

案 七五二號

學徒動員ヽ三年桐生高級生ノ歸校ニ關スル件

標記ノ件別紙ノ通報告ス

年　月　日

部名

庶務課宛

東京帝國大學農學部

學徒動員「三年相當學生」調

東京帝國大學農學部

出動先	所管廳	出動學生 學科	員數	勤務予定日	右上通知有無	備考
神奈川中郡吾妻村（[illegible]）	農商省 園藝試驗場	農學科	一	九、一五	無	
杉並区	〃 蠶絲試驗場	〃	一	九、一五	〃	
北多摩郡府中町	府中陸軍燃料廠	農藝化學科	四	〃	〃	
品川区南大井町	第一海軍衣糧廠	〃	五	〃	〃	
京橋区 京橋二丁目四 明治屋ビル四階	きりんびーる 東京出張所	〃	一	〃	〃	
	日本鑛業株式會社	〃	一	〃	〃	
横須賀市浦郷	海軍航空技術廠	〃	三	〃	有	
北多摩郡國分寺	第八陸軍技術研究所	〃	一	〃	無	
京橋区京橋二丁目八	明治製糖株式會社	〃	二	〃	〃	
	日清製油株式會社	〃	五	〃	〃	

東京帝國大學

千葉県稲毛三ノ一三九二	軍需省燃料研究所	〃	二	〃	〃
本郷区上富士前町一	理化学研究所	〃	三	〃	〃
〃	理研栄養薬品株式會社	〃	五	〃	〃
深川区越中島	陸軍糧秣廠	〃	二	〃	〃
京橋区宝町一ノ七	昭和農産化工株式會社	〃	一	〃	〃
三重県四日市	第二海軍燃料廠	〃	二	九、一〇	有
	日東理化学研究所	〃	一	九、一五	無
[illegible]区[illegible]町四ノ七七五	日本畜産工業株式會社	〃	一	〃	〃
立川市	陸軍航空技術研究所	林学科	一	九、一五	〃
横須賀市追浜	海軍航空技術廠	〃	一	〃	〃
新潟県長岡市	長岡営林署	〃	四	〃	〃
麹町区大手町	東京営林署	〃	一	〃	〃

東京帝國大學

新潟県南魚沼郡六日町	六日町営林署	林学科	三	九、一五	無
福島市大字曽根田	福島営林署	〃	一	〃	〃
南多摩郡、横山村	浅川林業試験場	〃	八	〃	〃
世田谷区下代田町	陸軍獣医学校	獣医学科	九	〃	〃
埼玉県大宮町	農商省埼玉、大宮種畜場	〃	三	〃	〃
愛知県知多郡旭町（本学水産実験所）	陸軍技術研究所出張所	水産学科	三	〃	〃
朝鮮京城府	株式会社林業商会	〃	一	〃	〃
深川区越中島町	陸軍糧秣本廠	〃	一	〃	〃
金沢市	[illegible]水産繊維研究所	〃	一	〃	〃
南多摩郡七生村 〃 [illegible]村	東京都	農業経済学科	四	〃	〃
備考		計	九二		

農業土木学科三年相当学生七名ハ本学内勤労
別記以外ノモノハ農学科共本学内勤労中ナリ。

東京帝國大學

東京帝國大學

東大發第八二二號

昭和十九年五月十日

東京帝國大學庶務課長　石井 [illegible]

法學部長殿

學徒勤勞動員ニ依リ本學ニ受入レタル學徒ニ對スル報償金賜與ニ付テハ事務簡捷ノ爲實際ノ事行ニ委任相成リタルニ付御了知相成度

空技廠機密第七六〇六號

昭和十九年八月三十日

海軍航空技術廠總務部長

東京帝國大學農學部長殿

動員學徒（三學年依託學生）歸校ノ件照會

速達

曩ニ貴校（部）ヨリ動員有之候首題學徒ハ動員ノ趣旨ニ基キ克ク其ノ本分ヲ盡シ居候處今回中央ヨリノ指示ニ從ヒ九月十五日附動員終了ヲ以テ歸校セシメ候條御了承相成度

（終）

學部長

書記官

二燃廠第一〇六八號

至急

昭和十九年九月六日

第二海軍燃料廠總務部長

東京帝國大學農學部長殿

學徒動員海軍委託學生（生徒）三學年ノ復校ニ關スル件通知

曩ニ當廠ニ動員ノ貴學（校）在學中ノ海軍委託學生（生徒）三學年ハ近ク卒業ニ有之候ニ就テハ來九月十日附一應動員ヲ打切リ復校可致候條御了知相成度

發送付先　海軍省軍需局第二課長

（終）

農學部
大學七ノ九號

東京帝大學第三三八號

昭和十九年八月三十一日

學生課長　大室貞一郎

學部長・書記官

農學部長　三浦伊八郎殿

學徒勤勞令施行ニ關スル件

標記ノ件ニ關シ文部次官、厚生次官、軍需次官連名ヲ以テ別紙寫ノ通リ申越候條委曲右ニテ御了知ノ上可然御配意相煩度此段依命及移牒候也

發學[illegible]號

昭和十九年八月二十五日

文部次官 閣
厚生次官 閣
軍需次官 閣

直轄學校長
公私立大學高等專門學校長
地方長官 殿
軍需監理部長

學徒勤勞令施行ニ關スル件

緊迫セル戰局ノ諸務ニ對處シ決戰完遂上學徒ノ勤勞動員ヲ徹底強化シ軍需生産等ラ[illegible]更度ニ増強スルノ必要ニ依リ今般新ニ法制的措置トシテ學徒勤勞令制定セラルルコトト相成八月二十三日勅令第五百十八號ヲ以テ公布施行セラレ之ニ伴ヒ文部、厚生、軍需省令ヲ以テ同令施行規則同日施行相成タル處右ハ學徒勤勞ノ特殊性並ニ其ノ重要性ニ鑑ミ特ニ學徒勤勞ヲ一般國民勤勞報國協力令ニ依ル協力ト切離シ一層學徒勤勞體制ノ徹底強化ヲ圖リ其ノ圓滑ナル實施ヲ期セントスル趣旨ニ有之、之ガ實施ニ當ッテハ不日詳細指示相成ヘキ見込ノ所、本令公布ノ趣旨篤ト御了知ノ上、取敢ヘズ本令施行ト共ニ速急處置ヲ要スヘキ左記事項ノ取扱ニツキ遺憾ナキヲ期セラレ度此段及依命通牒候

記

一、本令施行前現ニ國民勤勞報國令第五條ノ規定ニ依リ申請（請求）シ同令ニ依ル協力令ノ發動ニ依リ現在實施中ノ學徒勤勞ハ本令附則ニ依リ更メテ本令ニ依ル出動令書ノ交付ヲ俟タズ本令施行ノ日以後ハ本令ニ依ル學徒勤勞ト看做サレ自今本令ノ適用ヲ受クルコト

二、本令施行前既ニ國民勤勞報國協力令第五條ノ規定ニ依リ申請（請求）シ未ダ該令ニ依ル出動令書ノ交付ヲ受ケ居ラザル現在實施中ノ學徒勤勞ニツイテハ文部大臣又ハ地方長官ハ速ニ本令第八條及規則第六條ノ規定

ニ依リ出動令書ヲ發付スベキコト但シ既ニ學民勤勞報國協力令第六條ニ依ル出動令書ノ發付手續進行中ノモノハ該令ニ依リ發令スルモ差支ヘナキコト此ノ場合ハ本令附則ニ依リ其ノ學徒勤勞ハ本令ニ依ル學徒勤勞ト看做サルルコト

三　現在實施中ノ學徒勤勞ニシテ未ダ申請（請求）手續未了ノモノハ本令施行後直ニ本令ニ依ル申請（請求）手續ヲ爲スベキニ義ナルモ特ニ左ノ取扱ニ依リ處理スルコト

(イ)　右ノ内本令施行前昭和十九年六月三十日迄ニ昭和十九年度第一四半期割當ニ依ル通年ノ學徒勤勞ニ關シ厚生大臣若ハ文部大臣又ハ地方長官ヨリ學徒出動配置決定ニ關スル指示ヲ受ケタル者ハ本令施行後十五日ヲ超エ尚學徒勤勞ヲ受クル場合ハ本令第六條ノ規定ニ依ル申請（請求）ヲ爲シタルモノト看做シ更メテ申請（請求）手續ヲ要セザルコトトスベキヲ以テ地方長官ハ適當ナル方法ヲ以テ學徒勤勞ヲ受クル事業主ニ對シ其ノ旨諒知セシムルコト

(ロ)　昭和十九年七月一日以後ニ出動配置決定シタル學徒勤勞ニ關

ツテハ正規ノ申請（請求）ヲ要スルニ付通年、緊急ヲ問ハズ本令施行後十五日以内ニ本令第六條及規則第三條ニ依ル申請（請求）ノ手續ヲ爲スベキコト

四 前項(イ)ノ場合ニ於テハ文部大臣又ハ地方長官ニ於テ令第八條及規則第六條ノ規定ニ依リ出動令書ヲ發スベキコト

(ロ)ノ場合ニ於テハ事業主ヨリノ申請（請求）ヲ俟チテ令第八條及規則第六條ノ規定ニ依リ出動令書ヲ發スベキコト

五 三、ノ(ロ)ノ場合ニ於ケル申請（請求）書記載ノ「所要期間」並ニ二、及四、ノ(イ)(ロ)ノ場合ニ於ケル出動令書ノ「出動期間」記載方法ハ左ニ依ルコト

(イ)通年ノモノニ付テハ本令第五條ニ依ルベキ義ナルモ差當リ本年度ノ取扱ヒトシテハ本令施行ノ日ヲ始期トシ本年度學年末ヲ以テ終期トシ記載ノコト

(ロ)臨時緊急動員ニ付テハ本令施行ノ日ヲ始期トシ、當初豫定ノ終期ヲ以テ記載ノコト

(八)本年九月末ノ見込ノモノノ終期ハ九月三十日ヲ以テ終期トスルコト

六、規則第三條後段ニ依リ地方長官令第六條ノ申請（請求）ヲ受理シタルトキハ右申請（請求）書ハ内政部ニ於テ之ヲ處理スベキコト

七、規則第五條第一項ニ依ル場合ニ於テ臨時緊急ナルモノトハ概ネ學徒動員所要期間三ケ月以内ノモノヲ指稱スル趣旨ナルニ付右ノ所要期間以内ニシテ所定ノ業務ニ付大學高等專門學校ノ學徒ノ出動ヲ要請スル場合ハ文部大臣ニ、大學高等專門學校以外ノ學徒ニ關スル場合ハ地方長官ニ申請（請求）スベキコト

八、地方長官規則第五條第一項ノ規定ニ依ル臨時緊急ナル業務ニ關スル申請（請求）ヲ受理シタルトキハ事前ノ割當指令ノ有無ニ拘泥シテ出動令書ノ發令ヲ遲延セシムコトナキ樣出動可能ナル人員ノ範圍内ニ於テ割當アリタルモノト看做シ機宜ノ措置ヲトルコト令第十條第一項及規則第八條ノ場合モ右ノ取扱ニ準ズルコト但シ規則第五條第二項ノ場合ハ嚴密ニ割當人員ノ範圍内ニ於テ申請（請求）セシムルコト

九、前項ノ規則第五條第一項ニ依ル三ケ月以内ノ臨時緊急動員ニ於テハ

國民動員計畫實施上必要アルトキハ出動後二ケ月ヲ經過シタル者ハ之ヲ引上グル場合アルベキニ付豫メ諒知ノコト

十 令第八條ニ規定スル特別ノ場合トハ左ニ掲グルガ如キ場合ヲ謂ヒ通常カカル事態ノ絶無ヲ期スル趣旨ナルモ萬一之ニ該當スルガ如キ場合アリタルトキハ文部大臣又ハ地方長官ハ直ニ生産管理諸官廳ト協議シ必要ナル措置ヲ決定指示スルコト

(一)學校所在地遠隔ニシテ且當該作業地ニ宿舍ノ設備ナキ場合

(二)作業ノ内容危險又ハ有害ニシテ且之ニ對スル防設不完全ト認メラルル場合

(三)其ノ他右ニ準ズルガ如キ事情ニ依リ學徒勤勞ヲ爲サシムルニ著シク支障アリト認メラルル場合

十一 學校長令第十條第一項及規則第八條ニ依ル申請(請求)ヲ受理シタルトキハ學校報國隊出動令書ヲ用フルコトナク學校長申請(請求)ノ内容ヲ調査シタル上直ニ令第十條第二項ノ措置ヲ爲スベキコト、コノ場合ニ於テハ直ニ其ノ旨大學高等專門學校ニ在リテハ文部大臣ニ、其ノ他ノ學校ニ在リテハ地方長官ニ報告スベキコト、右報告書ノ樣式ハ近ク指示スベキモ差當リ申請（請求）ノ住所、身分及氏名、作業場ノ所在地及名稱、作業ノ種類、出動期間、其ノ他參考トナルベキ事項ヲ記載スベキコト

十二、令第十二條及規則第九條ノ規定ニ依リ學徒動員ヲ停止スベキ場合ニ關シテハ右ニ依リ取扱ノ慎重ヲ期スルコト

(イ)規則第九條第二項ニ規定ニ依ル關係官廳トノ協議ニ關シテハ追ツテ指示スベキモ地方長官之ガ措置ヲ必要ト認ムル場合ハ其ノ狀況ニ付詳細監督官廳ニ報告シ其ノ指示ヲ待ツベキコト

(ロ)一般ニ學校長ハ獨斷ヲ以テ學徒動員ヲ停止セシムルコトヲ得ザル義ニ付學校長之ガ措置ノ必要ヲ認メタルトキハ(イ)ニ準ジ其ノ狀況ヲ詳細監督官廳ニ具申スルコト

令第十條ノ規定ニ依リ學校長ガ學校報國隊ノ出動ヲ指示シタル場合ニ於テモ亦同ジ

十三、規則第十二條第二項ニ規定スル際ニ必要アリト認ムル場合トハ昭和十九年五月三日通牒ノ「工場事業場等學徒動員受入側措置要綱」

七四ニ定ムル弔慰金ヲ支給スル場合ニシテ地方長官限リ同項ニ規定スル扶助ノ額ヲ増減スルコトヲ得ザルニ付諒知ノヨト

83

鉱業第五四三号 ——、

明治[illegible]九年九月[illegible]

[illegible]

[illegible]長殿

[illegible]

一、静岡[illegible] 二年 八、[illegible]

一、福岡[illegible] 〃 七、

同[illegible]（[illegible]）

一、[illegible]十月[illegible]

至[illegible]

[illegible]

一一六　104
四三　ナガ　サキトマチ　一八五　七八
ヤヨイチヨウ」
トウキヨウテイダ　イノウガ　クブ
シユツトウビ　シジ　アリタシ」ナガ　サキシシントマチ三ビ　シ
コガ　クラレウ五コウヰセキ

コ一、四一　レ

19.9.16

土

九三　90

四五　シンケウ　八二〇八　コ六

学科主任

モトフジ　マチ上

トウケフテイダ　イノウガ　クブ

キンラウド　ウインガ　クトハ二六ヒシンケフハツダ　ンタイユソ

ウニテキカンス」ノウチカイハツ

コ〇、五三　ユ

東京帝國大學

林第八五號

昭和十九年七月十七日

東京帝國大學農學部林學科

事務室 御中

學徒勤勞動員出動者氏名報告ノ件

標記ノ件ニ關シ國民勤勞報國協力令ニ依ル學徒勤勞動員出動者氏名別紙ノ通リ及報告候也

B列5

東東1529

東京帝國大學

演習林業試驗場出勤學生名簿

林學科　林産學專修　三年

市河（印）、種崎

大石信孝

阿部寛

村松正七

野崎昌輔

吉田全夫

小澤啟秀

樫野順三

合計七名

林業

林安之

B 究 5

東東1529

昭和十九年五月十八日

農業經濟學科主任　東畑精一

農学部長三浦伊八郎殿

一、学生勤労動員ニ関スル件

標記ノ件ニ関シ当学科ハ左記ニ勤労動員ニ出動[illegible]決定致候ニ付静岡縣下ヘノ出動ハ差支ヘ之有候ニ付此段御報告申上候

記

埼玉縣　福田村

B列5

回覧 文第七四七号
理工科関係学科第二学年学徒動員ニ関スル件
昭和十九年九月十二日
事務室

~~演習林~~
~~農場~~
~~水産実験所~~
~~御中~~

農学科（加藤）
農芸化学科（印）
林学科（印）
獣医学科（印）
水産学科（印）
農業経済学科（印）
農業土木学科（印）

（大塚）

85

東京帝國大學

回覧

東京帝大學第三五一號

昭和十九年九月八日

學生課長　大室貞一郎

農學部長　三浦伊八郎殿

各學科主任

理工科關係學科第二學年學徒動員ニ關スル件

標記ノ件ニ關シ文部省專門教育局長ヨリ別紙ノ通リ申越候條委曲右ニテ御了知ノ上可然御取計相煩度此段依命及移牒候也

東京帝國大學

動專五一七號

昭和十九年九月二日

文部省專門教育局長 印

東京帝國大學總長 殿

理工科關係學科第二學年學徒動員ニ關スル件

工學關係學科並ニ數學、物理、化學、地質、岩石、鑛物、應用化學及數學ノ諸學科ニ於ケル第二學年學徒ハ既ニ集團配置ニ依リ工場事業場等ニ出動中ニ有之處右學徒ハ來ル十月ヲ以テ夫々第三學年ニ進級相成ベキモ學徒動員ニ關シテハ本省ヨリ何分ノ指示有之迄ハ現在ノ儘出動繼續相成ベキ次第ニ付御諒知相成度此段爲念及通牒

回覧

昭和十九年九月十五日　学務室

理科系学徒ニシテ十月二年生ナル者ノ教育継続ニ関スル件

~~演習林~~
~~農場~~
~~水産實驗所~~
~~御中~~

農學科（加藤）
農藝化學科（印）
林學科（印）
獸醫學科（印）
水産學科（印）
農業經濟學科（大塚）
農業土木學科（印）

30

東京帝國大學

大學文書 七〇號

東大庶第一、三九九號
昭和十九年九月十五日

東京帝國大學庶務課長

農學部長殿

理科系學徒ニシテ十月二一年生ニナル者ノ教育繼續ニ關スル件

標記ノ件ニ關シ文部省專門教育局長ヨリ別紙寫ノ通申越候條右御了知相成度依命此段及移牒候也

東京帝國大學

（寫）

理科系學徒ニシテ十月二年生ニナル者ニ付テハ何分ノ指示アル迄從來通教育ヲ繼續スルモノナルニ依リ海軍ヨリ其ノ委託生ニ對シ直ニ軍工廠等ニ引上グベキ旨ノ通報アリタルヤノ趣聞キ及ブモ右ハ然ルベカラザルモノナルニヨリ引上ゲセザルヤウ可然配慮セラレタシ爲念

昭和十九年九月十三日

文部省專門教育局長

東京帝國大學總長殿

87

九月二十六日

東京帝國大學學生課御中

海軍省軍務局第一課

海軍依託學生候補ニ関スル件通知

軍務二機密第四四一號ヲ以テ[illegible]海軍

照會[illegible]御在[illegible]中ノ[illegible]左記ノ依託[illegible]

[illegible]ノ[illegible]御在中[illegible]一[illegible]

[illegible]

[illegible]

東京帝國大學

第四號様式

北水試第四七九號

昭和十九年九月五日

北海道水産試驗場長　大島幸吉

東京帝國大學農學部長

三浦伊八郎殿

勤労學生派遣ニ關スル件

貴部水産學科三學年生村山繁雄氏今夏六月二十三日ヨリ勤労ノ爲當場へ御派遣相成七十一日間當場化學部ニ於テ現下軍需資材トシテ最モ緊要ナル加里臭素資源海藻ノ分析等ニ終始勵精セラレ當場ノ業務ヲ推進相成候段奉深謝候　當場職員モ相次グ應召ノ爲研究員ノ不足ニハ惱ミ居リ候ニ就而爾今貴部學生ノ勤労動員等ニ依リ極力戰時下當場ノ任務達成ニ邁進致度存念ニ有之候條何卒特段ノ御協力相願度此段及重而及御依賴候也

洋紙規格B列 第五號

北海道廳

受付 第　號 昭和19.9. 東大會計課

第四號樣式

追而右村山繁雄氏ニ對シテハ當場ニ於テ食費宿泊料ヲ負擔ヤル外
月額四十圓竝當地東京都間ノ汽車賃實費及辨當料支給本日本人ニ
手交致候條御了知相成度

北海道廳

洋紙規格B列 第五號

東京帝國大學

昭和十九年九月九日

東京帝國大學農學部事務部

東京帝國大學會計課御中

別紙ノ通申越有之候ニ付可然御配慮相煩度候也

九月二十八日北北試へ通牒

解説執筆者

西山　伸（にしやま・しん）

一九六三年生まれ。京都大学大学文書館教授

主な編著書等　『京都大学大学文書館資料叢書1　羽田亨日記』（京都大学大学文書館、二〇一九年）、『京大生小野君の占領期獄中日記』（共編著、京都大学学術出版会、二〇一八年）、『学校沿革史の研究　大学編2　大学類型別比較分析』野間教育研究所紀要第五八集（共著、学校沿革史研究部会編、野間教育研究所、二〇一六年）、『学校沿革史の研究　大学編1　テーマ別比較分析』野間教育研究所紀要第五三集（共著、学校沿革史研究部会編、野間教育研究所、二〇一三年）、『知の伝達メディアの歴史研究　教育史像の再構築』（共著、辻本雅史編、思文閣出版、二〇一〇年）ほか。

東京帝国大学農学部
学徒動員関係史料　第2巻
第1回配本・全2巻

解説　西山　伸

2019年10月25日　初版第一刷発行

発行者　小林淳子
発行所　不二出版　株式会社
〒112-0005
東京都文京区水道2-10-10
電話　03（5981）6704
http://www.fujishuppan.co.jp
組版／昴印刷　印刷／富士リプロ　製本／青木製本
乱丁・落丁はお取り替えいたします。

第1回配本・全2巻セット　揃定価（揃本体36,000円＋税）
ISBN978-4-8350-8326-1
第2巻　ISBN978-4-8350-8279-0

2019 Printed in Japan